SUN TZU

孫子兵法

A ARTE DA GUERRA

Sun Tzu disse:

"A melhor vitória é vencer sem lutar"

CONHEÇA NOSSO LIVROS
ACESSANDO AQUI!

Copyright desta tradução © IBC - Instituto Brasileiro De Cultura, 2023

Título original: 孫子兵法
Reservados todos os direitos desta tradução e produção, pela lei 9.610 de 19.2.1998.

2ª Impressão 2023

Presidente: Paulo Roberto Houch
MTB 0083982/SP

Coordenação Editorial: Priscilla Sipans
Coordenação de Arte: Rubens Martim
Diagramação: Rogério Pires
Revisão: Suely Furukawa
Tradução e Preparação de Texto: Fabio Kataoka

Vendas: Tel.: (11) 3393-7727 (comercial2@editoraonline.com.br)

Foi feito o depósito legal.

Dados Internacionais de Catalogação na Publicação (CIP)
(eDOC BRASIL, Belo Horizonte/MG)

S958a Sunzi, séc. VI A.C.
   A arte da guerra / Sun Tzu; comentários de Pablo Marçal. –
Barueri, SP: Camelot Editora, 2021.
   15,5 x 23 cm

   ISBN 978-65-87817-56-9

   1. Ciência militar – Obras anteriores a 1800. I. Título.
                                                            CDD 355

Elaborado por Maurício Amormino Júnior – CRB6/2422

IBC — Instituto Brasileiro de Cultura LTDA
CNPJ 04.207.648/0001-94
Avenida Juruá, 762 — Alphaville Industrial
CEP. 06455-010 — Barueri/SP
www.editoraonline.com.br

Sumário

Prefácio... 7

Introdução 9

Capítulo I
始計 **Planejamento Inicial** 11

Capítulo II
作戰 **Guerreando** 21

Capítulo III
謀攻 **Estratégia ofensiva** 27

Capítulo IV
軍行 **Disposições** 33

Capítulo V
兵勢 **Energia**... 40

Capítulo VI
虛實 **Fraquezas e forças** 46

Capítulo VII
軍爭 **Manobras**.. 54

Capítulo VIII
九變 **As nove variáveis**................................. 62

Capítulo IX
行軍 **Movimentações** 67

Capítulo X
地形 **Terreno** 77

Capítulo XI
九地 **As nove situações**................................ 85

Capítulo XII
火攻 **Ataques com o emprego de fogo** 98

Capítulo XIII
用間 **Utilização de agentes secretos**............................ 104

PREFÁCIO

E aí? Titi na área! Você está preparado para viver uma grande transformação? Então, vamos começar com alguns comentários a respeito do livro *A Arte da Guerra*, leitura que recomendo porque aprendo com o autor toda vez que releio esta obra, e já foram umas cinco vezes!

Eu não me canso dessa leitura, principalmente porque este livro, apesar de usar a guerra como objeto das reflexões do autor, é útil e revela códigos cabulosos para a vida.

Não é segredo para ninguém que eu me considero um general, mas do exército do Céu, e assim intitulo todos os que estão comigo na caminhada cristã, lutando em favor do amor. Mas que fique bem claro que Deus não precisa da defesa de ninguém, Ele é a verdade. Nós é que devemos viver conforme o amor, a graça e a misericórdia recebidas d'Ele, e lutar para que todos, independentemente de quem sejam, sintam-se amados, reconheçam sua identidade que está em Gênesis 1:26, sejam participantes da graça e aprendam a amar no amor do Pai.

Cristo é amor, você sabia disso? E não há nada que possamos fazer para diminuir ou apagar esse amor por nós. É por isso que nossa guerra não é contra carne ou sangue, e sim a favor do amor.

Somos a obra-prima da Criação e só conseguimos viver plenamente o propósito para o qual fomos chamados, quando reconhecemos essa obra em nós.

Ao longo dessa leitura, você vai entender como eu utilizo os comandos de Sun Tzu no recrutamento dos generais do Reino para a grande guerra. Nossas armas não são as comuns, esteja preparado!

Então, o primeiro passo é conhecer a causa e o propósito pelo qual se vai lutar e, em seguida, traçar o plano.

Um bom general é aquele que sabe exatamente o norte que precisa seguir junto ao seu exército para conquistar todas as metas estipuladas durante uma guerra.

Pablo Marçal

Estátua de Sun Tzu em Yurihama, Tottori, Japão

INTRODUÇÃO

A Arte da Guerra é considerado o melhor livro de estratégia de todos os tempos. Especialistas afirmam que este tratado inspirou Napoleão, Maquiavel, Mao Tse Tung e muitas outras personalidades históricas.

Decorridos mais de 2.500 anos, as máximas atribuídas a Sun Tzu ainda são seguidas atualmente no mundo dos negócios, esportes, política, diplomacia, psicologia e comportamento pessoal.

É um estudo do conhecimento da natureza humana nos momentos de confronto. O livro não se limita à guerra. É um trabalho para entender as raízes de um conflito, para indicar uma solução.

O trabalho de Sun Tzu foi divulgado pela primeira vez para o Ocidente no período antes da Revolução Francesa através de uma tradução resumida do padre jesuíta Joseph-Marie Amiot.

Os conceitos de Sun Tzu chegaram há muito tempo ao Japão, onde teriam sido estudados pelo famoso samurai Miyamoto Musashi, que se inspirou nele ao redigir *O Livro dos Cinco Anéis*.

Alguns historiadores concluíram que Sun Tzu viveu por volta de 500 a.C., na atual província de Shandong, na China. O termo "tzu" corresponde a um título honorífico usado naquela época para designar os sábios e equivale a professor ou mestre. Entretanto, outros pesquisadores garantem que Sun Tzu não se trata de uma única pessoa e sim de vários filósofos chineses daquele período, que se reuniram para elaborar o tratado.

"A melhor vitória é vencer sem lutar", diz Sun Tzu.

O texto inicial de A Arte da Guerra no clássico livro de bambu.

CAPÍTULO I

始計

Planejamento Inicial

Sun Tzu disse:

"A arte da guerra é de importância fundamental para o Estado. Em nenhuma circunstância deve ser negligenciada."

Existem cinco itens importantes que devem ser objeto de contínua meditação:

- A Lei Moral,
- O Céu,
- A Terra,
- O Líder,
- O Método e a Disciplina.

A **Lei Moral** é aquilo que faz com que o povo esteja em harmonia com o seu governante, de modo que o siga aonde for, sem temer por sua vida, sem medo de se expor a qualquer perigo.

O **Céu** significa a noite e o dia, o frio e o calor, o tempo e as estações.

A **Terra** corresponde a distâncias, grandes ou pequenas. Indica perigo e segurança ou campo aberto e desfiladeiros e também as oportunidades de vida e morte.

O **Líder** representa as qualidades de sabedoria, sinceridade, bondade, coragem e retidão.

Método e disciplina indicam a disposição do exército em subdivisões adequadas, as graduações de posto entre os oficiais, a manutenção de estradas por onde os suprimentos devem chegar às tropas e o controle dos gastos militares.

Estes cinco detalhes fundamentais precisam ser conhecidos por cada comandante. Quem conduz os soldados para a batalha deve estar familiarizado com estes cinco fatores. Quem os compreende pode alcançar a vitória. Quem não os compreende será derrotado.

Perguntas que devem ser feitas:

1. Qual povo escolheu seu caminho?
2. Qual comandante tem mais habilidade?
3. Qual dos lados tem a vantagem do clima e do terreno?
4. Qual dos exércitos manifesta uma disciplina mais efetiva?
5. Qual dos lados possui superioridade militar?
6. Qual dos lados tem os soldados mais bem treinados?
7. Qual dos lados possui um sistema de recompensas e de castigos mais justo e claro?

Se ponderarmos com sabedoria estes fatores, poderemos prever o resultado de uma batalha.

O comandante que levar em consideração essas perguntas ou estratagemas ganhará as batalhas e permanecerá à frente de suas tropas. Do contrário, sofrerá derrotas e será afastado.

Dissimulação

Qualquer operação militar tem na dissimulação sua estratégia básica.

Um bom líder deve fingir ser incapaz. Se estiver pronto, deve fingir-se despreparado. Se estiver perto do inimigo, deve parecer estar longe.

Um bom líder deve:

- Oferecer uma isca para fascinar o inimigo que procura alguma vantagem;
- Capturar o inimigo quando ele está confuso;
- Fortalecer-se para encarar o inimigo, se este for poderoso.

Se o inimigo:

- For orgulhoso, provoque-o;
- For humilde, encoraje sua arrogância;
- Estiver descansado, desgaste-o;
- Estiver unido, estimule o desentendimento entre suas tropas.

Um comandante militar deve atacar onde o inimigo está desprevenido e deve utilizar caminhos que, para o inimigo, são inesperados.

Estas táticas são a chave para a vitória dos estrategistas. Contudo, estes fatores não podem ser determinados aleatoriamente, com base apenas em situações que ocorreram em guerras passadas.

O comandante deve ser capaz de ponderar todos estes detalhes com antecedência. O lado que contar mais pontos vencerá; o que contar menos perderá. É pior ainda o que não contar ponto nenhum.

COMENTÁRIO SOBRE O CAPÍTULO 1

Estabelecendo planos

Neste primeiro capítulo, o autor Sun Tzu – um general, estrategista de guerra e filósofo chinês – lista cinco fatores que devem ser levados em consideração na tomada de decisões: a lei moral, o céu, a terra, o comandante e o método e a disciplina.

Vamos conhecer a fundo cada um deles para ativar os códigos da guerra dentro de você!

• Lei moral

Segundo Sun Tzu, os soldados seguiriam seu general, independentemente do que poderiam viver em uma guerra. O soberano, para tanto, deveria reunir os predicados morais para conquistar a confiança do seu batalhão, sendo sábio, sensato, honesto e justo. Aquele que busca a sabedoria tem um coração ensinável e o seu batalhão vai saber pelo que lutar em busca da vitória.

Qual é o código que existe aqui? Só tem paz quem ama a sabedoria e a persegue. O exército deve estar alinhado e pronto para agir ao som do primeiro comando do seu general.

Para ser um líder forte, é preciso autoconhecimento, saber qual é a sua identidade, reconhecê-la em si mesmo e não se desviar. Seguir o caminho enfrentando as dificuldades, elas fortalecem e geram aprendizado.

Você deve conhecer o seu inimigo mais do que ele a você. Essa é uma capacidade que só os que têm a sua identidade ativada é que são capazes de adquirir. É assim que funciona com o batalhão, se tem voz de comando, e todos estão seguros quanto a quem são, nada os abala porque estão firmados na palavra do seu comandante.

Um dos fatos que mais prejudicam uma boa liderança é o bloqueio. Você pode ter toda a instrução do mundo, mas, se tiver bloqueios, isso não vale de nada porque você não prospera. O bloqueio é uma barreira que você tem que resolver. Eles são muitos; o primeiro passo é reconhecê-los. Todo ser humano tem uma série de bloqueios que começaram lá no início, ainda na infância. Os maiores bloqueadores cerebrais estão próximos, mas, entenda, eles não fazem por maldade, e sim porque aprenderam dessa forma e pensam que estão dando o melhor de si à criança. A maioria faz por amor, acredite. Os bloqueios acontecem, em sua maioria, pelos pais ou professores. São bloqueios de aprendizagem, necessidade de aprovação, autoimagem, paternidade, escassez... Enfim, são mais de 55, uma série deles instalada em nosso cérebro impedindo o nosso fluir!

Você precisa se autoconhecer para quebrar esses bloqueios, ser livre e conseguir dominar em tudo o que tiver que ser feito. Você que não se considera capaz de vencer, saiba que os bloqueios paralisam o seu raciocínio e travam as suas ações. Porém, é possível vencer um a um. Agora, se você pensa que não tem bloqueio algum, toque a sua vida, vá adiante. Isso porque achar que não tem bloqueios é a certeza de que não terá resultados, porque o bloqueio tem intimidade direta com o seu propósito. Preste atenção: vai para a guerra em condição de vitória, aquele que vence primeiro os seus bloqueios.

Conheça-se, destrave seus bloqueios e fortaleça o seu mindset. Feito isso, você terá o poder da liderança em suas mãos e vai saber conduzir o seu exército (equipe) a favor dos seus planos.

Em sua imagem, ative as melhores qualidades para cuidar de sua própria vida. É preciso ser sábio, sensato, honesto e justo. Para tanto, deixe o seu ego fora do combate. Caso contrário, o seu exército não aguentará ouvir você. Ser ouvido é a arte de tocar na alma de uma pessoa, e não no seu raciocínio.

Conheça cada integrante de seu exército, cada "peça" é única. Lembre-se: você não pode conversar com o proletariado da mesma forma que se comunica com o presidente de uma empresa. É preciso adaptar a sua linguagem a cada membro para conseguir ser ouvido por todos.

• Céu

Diz respeito ao clima, à hora da batalha e a à estação do ano. Qual é o código que temos aqui? O tempo! Esse é um ingrediente poderosíssimo para enfrentar o combate. Acorde cedo para conseguir a energia necessária para vencer qualquer obstáculo! Levantar cedo faz com que você acorde botando pressão até no Sol, a maior luminária que damos conta de ver. Além disso, ao levantar antes de todos, você usufrui de uma energia mais pura. Não vai ter ninguém reclamando às 04h59 da manhã, estão todos dormindo!

Aproveite para se conectar ao Criador, essa deve ser a primeira atitude de um general, ser grato e mergulhar na fonte para transbordar no front de batalha. O amor está em guerra. Para ir para a próxima fase, é necessário receber o poder do alto. Você foi chamado para um tempo, a fase em que vive não é a que você nasceu para viver, tenha certeza.

É bom refletir sobre seus planos e suas estratégias, mas não perca muito tempo com isso; viva por princípios, porque regras foram feitas para serem quebradas.

Estabeleça suas prioridades, mas esteja 100% pronto para os desafios do dia. O que eu vivo hoje não determina quem eu sou. Todos nós podemos ser transformados todos os dias. Essa transformação depende do quanto nos dedicamos ao agora. Quem se preocupa com o passado ou foca suas energias no futuro despreza o único tempo em que é possível agir, o agora.

Acordar cedo faz você dormir cedo também. Mude as suas práticas! Se você estiver caminhando por princípios, terá novos hábitos. Isso fará toda a diferença na liderança dos projetos de sua vida. Os hábitos instalados se tornam um *lifestyle*, e quanto melhor for o nosso estilo de vida, mais alegres nos sentiremos, consequentemente mais bonitos ficamos, porque o coração alegre aformoseia o rosto. Isso é vida!

• Terra

A terra está relacionada ao terreno, às distâncias, às passagens largas ou estreitas, aos campos fechados ou abertos.

"Qual é o código aqui, Titi? " – Você deve estar se perguntando! Simples: estude o ambiente, conheça tudo o que o abrange e esteja preparado para se movimentar sempre que for necessário. " O prudente vê o mal e se afasta." Você já parou para pensar que, quando uma pessoa não se move, ela já tem uma certeza: não terá nenhum resultado! Contudo, a pessoa que está sempre se movendo já lidera com uma garantia: talvez demore, mas uma hora ela vai chegar lá e conquistar as metas que traçou.

Entenda que, andando por caminhos pelos quais nunca passou, você vai se conectar a novas pessoas, que vão colocá-lo diante de outras ideias. Esses novos pensamentos precisam ser vencidos para que gerem ações e coloquem você diante de novos resultados. Não se prenda, esteja sempre em movimento.

Diante disso, se não quiser vencer a guerra, não se mova. Fique parado! Tudo se move, só você que não avança. Por quê? Se você se mover, manifestará a glória da criação. Reflita: todos os grandes nomes da Bíblia se moveram, se espalharam e isso mudou completamente o resultado da humanidade. E você? Qual é a diferença que está fazendo hoje na Terra? Está transbordando na sua vida e na de todos os que o cercam ou está estagnado?

Não se apegue a nada, tudo é d'Ele. A única coisa que temos e que levaremos conosco é a glória de Deus. Afinal, somos o sinal d'Ele para essa geração, mas insistimos em pedir a Ele que nos mande um sinal. "Desperta tu que dormes!" O sinal está aqui, você é o sinal. Pense: se eu faço por você e você faz pelo outro, ninguém segura o movimento. Aprenda rápido; não é sobre você, nem a nosso respeito. É tudo sobre Ele! "Porque d'Ele, por Ele e para Ele são todas as coisas." Que tipo de general da sua vida é você?

Faça essa autoanálise, estude o ambiente que lhe cerca e comece a agir, espalhe a semente. O código aqui é confrontá-lo para que você se mova e transforme a sua vida!

• Comandante

O comandante deve ser avaliado por sua sabedoria, honradez, habilidades guerreiras, confiança, benevolência, seriedade e justiça. Aprimore essas virtudes em você e desenvolva a sua liderança. Isso fará com que todo o exército ouça o que você tem a dizer, caminhe junto e respeite a sua história.

Contudo, para você ter essas qualificações, é preciso conhecer a chave mestra do universo. Você sabe qual é essa chave? É o relacionamento! O fato é que você não lidera ninguém, se não conhecer a si mesmo. Por exemplo, se uma pessoa não gosta de pessoas, ela não tolera a si mesma. Quem não se ama não é capaz de amar ao próximo. Está entendendo qual é o código? O bom comandante é aquele que conhece a si mesmo.

A chave mestra abre qualquer porta, mas o relacionamento é uma porta que tem maçaneta apenas pelo lado de dentro e fechadura pelo lado de fora. Você coloca a chave, gira, mas, se a pessoa que estiver do lado de dentro não quiser abrir, você não consegue entrar, ou seja, não é possível acontecer um relacionamento nessa conexão. O que é essa chave? A confiança! As pessoas só giram a maçaneta se confiarem em você. E um bom comandante precisa disso.

Sorriso, olhar voluntário, imagem positiva e ação fazem todo o sentido na hora de se conectar ao seu exército.

Está fazendo sentido o que eu disse até aqui? Analise alguns grandes líderes da nossa história e confirme o que estou dizendo. Por exemplo, Martin Luther King, ativista político norte-americano que lutou em defesa dos direitos sociais para os negros, mulheres e outros, reforçou a importância de sempre estar em movimento: "Se não puder voar, corra. Se não puder correr, ande. Se não puder andar, rasteje, mas continue em frente de qualquer jeito".

A verdade é que todos os grandes nomes da nossa história – como Bill Gates, Steve Jobs, Nelson Mandela, Walt Disney... – possuem pontos em comum:

• Autoconhecimento: identificação das qualidades e limitações, gerenciamento das emoções positivas e negativas e uso da inteligência emocional;

• Proatividade: busca pelo desenvolvimento constantemente;

• Relacionamento: excelente habilidade de transmitir a mensagem certa para o seu exército.

E aí, qual habilidade você precisa aperfeiçoar para ser um bom comandante?

• Método e disciplina

O último fator abordado no primeiro capítulo refere-se à organização do exército e o seu preparo logístico. Sabe o que é disciplina? É regra! Na mão esquerda, estarão sempre as leis, as regras e as disciplinas; já na mão direita, temos os princípios, os hábitos e o estilo de vida.

No meu Método IP (Identidade e Propósito), eu sempre defendo o conceito: não tentem seguir regras, pois as possiblidades de dar errado são muitas. Qual é o jeito certo de ter disciplina? Com gestação de hábitos! Você precisa cultivar as novas atitudes em sua vida para acontecerem de forma espontânea, e não como um "fardo pesado". Ninguém prospera com as regras e obrigatoriedades. Jesus veio cumprir a lei, e não a regra.

Por que o livro de Provérbios jamais ficará retrógrado, uma obra que foi escrita há aproximadamente quatro mil anos? Porque ele não é um livro de regras, e sim de princípios. Sendo assim, para estar preparado para a guerra, opte sempre por cultivar o que está na sua mão direita: hábitos, princípios e estilo de vida.

Se você abandonar a disciplina, significa que já tem a consolidação de um hábito, aquilo já faz parte de sua essência. Por isso, transforme seus *drivers* mentais e comece a criar esse método que realmente é capaz de liderar seu exército para o sucesso!

E nunca esteja satisfeito com as mudanças que já viveu. Existem muitos outros códigos nos capítulos a seguir. Estamos juntos até depois do fim!

Ilustração de André Castaigne

CAPÍTULO II

作戰

Guerreando

Sun Tzu disse:

"Quando enviar as tropas para uma batalha, deve considerar que necessitará de mil carros velozes de guerra e mil carros pesados de guerra, além de cem mil soldados."

Procure alcançar uma vitória rápida nas operações militares. Se demorar nas ações, as armas ficarão desgastadas, as provisões insuficientes e as tropas desmoralizadas. Uma batalha longa entorpece o exército, umedece o espírito e o entusiasmo dos soldados. Se você sitiar uma cidade fortificada, terá suas forças esgotadas. Se o seu exército for mantido muito tempo em campanha, as reservas do Estado serão insuficientes.

Tem mais: quando você estiver com suas forças desgastadas, com provisões insuficientes, tropas desmoralizadas e com recursos exauridos, os governantes vizinhos tirarão proveito desta situação e obterão vantagens para atacá-lo. E você, neste caso, mesmo contando com os mais ilustres e sábios conselheiros, não conseguirá garantir um bom resultado na batalha.

Apesar de já termos ouvido falar de campanhas precipitadas e imprudentes, nunca tivemos um exemplo de benefício no prolongamento das hostilidades. Tampouco, ouvimos que uma guerra demorada pudesse beneficiar um país.

Aquele que não compreende os perigos inerentes das operações militares não está profundamente consciente da maneira de como tirar proveito disto.

Um comandante eficiente não faz um segundo recrutamento nem carrega mais de duas vezes seus vagões de suprimentos. Uma vez declarada a guerra, não perderá um tempo precioso esperando reforços, nem voltará com seu exército à procura de suprimentos frescos, mas atravessará a fronteira inimiga sem demora. O valor do tempo é maior do que a superioridade numérica ou os cálculos mais perfeitos com relação ao abastecimento.

Custos da guerra

Quando envia suas tropas para empreender uma guerra em local distante, geralmente o Estado acaba empobrecido. Manter um exército longe custa caro. Onde esse exército estiver estacionado, os preços de artigos subirão; e o preço alto esgotará os recursos financeiros do Estado. Quando os recursos do Estado estiverem se exaurindo, os impostos tenderão a aumentar para angariar mais recursos.

Necessitará de muitas provisões para esta força cobrir uma distância de mil li (mil li = 100 km). Gastará mil barras de ouro por dia para a despesa do Estado e no campo de batalha, incluindo enviados ao exterior e conselheiros. Precisará também de materiais como cola, tinta e armaduras.

Toda a força do Estado será consumida no campo de batalha. Ao final, setenta por cento da riqueza das pessoas serão consumidas e sessenta por cento da renda do Estado serão dissipadas, com carruagens quebradas, cavalos fora de combate, armas danificadas, inclusive armaduras e elmos, arcos e flechas, lanças e escudos, rebanhos, carroças de provisões.

Obtenção das provisões

Consequentemente, um chefe sábio deve se esforçar para obter as provisões no solo inimigo. O consumo de 10 quilos de comida do inimigo é equivalente a 200 quilos da própria e 50 quilos de forragem do inimigo equivale a uma tonelada da sua.

Administração do patrimônio e bens capturados

Se você quer matar o inimigo, você tem que despertar o ódio de seus soldados; se você quer obter a riqueza do inimigo, você tem que saber administrar a distribuição do patrimônio.

Se seu exército captura dez carruagens em uma batalha, você tem que recompensar o primeiro que lhe levou a carruagem do inimigo.

Substitua as bandeiras e estandartes do inimigo por suas próprias bandeiras e misture as carruagens capturadas com as suas.

Ao mesmo tempo, você deverá tratar bem os soldados aprisionados.

As operações militares devem ser conduzidas para uma vitória rápida.

Então, o líder que está versado na arte de guerra torna-se o soberano que pode determinar o destino das pessoas e controlar a segurança da nação.

COMENTÁRIO SOBRE O CAPÍTULO 2

Em combate

Neste capítulo, Sun Tzu revela a importância de conhecer as nossas "armas": nossos pontos fortes e fracos, priorizando os fortes e reduzindo o impacto dos fracos.

Um general concentra em si as grandes virtudes de um líder. Está atento às possibilidades de vida ou morte; trabalha com retidão e mantém a tropa em harmonia. Ele sonda o inimigo e conhece seu ponto fraco para fortalecer a si mesmo como líder, e transmitir confiança aos seus soldados.

O amor é mais poderoso do que qualquer outro armamento. Ele é uma pessoa, fez-se homem, desceu na Terra e silenciosamente provou o que é amar. Não disse eu te amo, mas entregou a própria vida. O amor jamais acaba. Você pode ser o que quiser, ter as melhores experiências, mas, se não tiver amor, nada valerá a pena, porque nada será. O segredo está naqueles que se sentem amados. O amor é atitude e sentimento. Você precisa desse amor!

O líder respeitado é aquele que divide as conquistas com seu exército e trata bem o inimigo depois de capturá-lo. Tratar bem é amor, principalmente quando não se leva em consideração a presença do inimigo a ser cuidado. O amor se desvia do mal, mas encontra o bem em tudo.

A preocupação é a má gestão da imaginação. Não gaste recursos de sua própria vida com a preocupação, pois isso vai tirar toda a energia do que é importante. Preocupar-se é uma das toxinas mais poderosas que existem, a ponto de tirá-lo do agora e de impedir que você viva o extraordinário. É isso o que você deseja?

A preocupação projeta você ao futuro, não faça isso, viva o agora. Qual é o seu nível de desejo de se livrar dessa toxina? Faça uma lista das dez maiores preocupações que afligem a sua mente, estabeleça prioridades e ações para vencê-las e coloque uma data para cada ação.

A imaginação é poderosa, faz você conquistar qualquer coisa antes de contemplar com os olhos. Primeiramente, você chega com a sua mente para o seu corpo chegar depois.

"A sua mente tem saudade de coisas que os seus olhos jamais viram." Eu gosto muito dessa frase, porque ela revela o que é a imaginação. Meus resultados são permeados por essa frase. A fé é imaginação.

Há coisas dentro de você que precisam ser acionadas para que seja capaz de ativar pessoas à sua volta.

E este é um código poderoso: você precisa aprender a não depender dos outros, porque quem aprende não depende. Quando o treinamento é leve, o soldado vai sofrer na batalha, não será fácil. Porém, a trajetória será leve para aquele que não se economiza nos treinos. Você quer vencer na chuva? Treine na tempestade. Deseja adquirir novos comportamentos? Treine cada um deles e, em pouco tempo, você terá novas habilidades.

Vá para a guerra com o suficiente e vença rápido. Batalhas longas não beneficiam ninguém, desanimam a tropa e aumentam o risco da derrota.

Ilustração de T. Miyano

CAPÍTULO III

謀攻

Estratégia ofensiva

Sun Tzu disse:

"Na arte prática da guerra, o melhor de tudo é tomar o país do inimigo inteiro e intacto; quebrá-lo e destruí-lo não é tão bom. Da mesma forma, é melhor recapturar um exército inteiro do que destruí-lo, capturar um regimento, um destacamento ou uma companhia inteira do que destruí-los."

A invencibilidade está em si mesmo, a vulnerabilidade, no adversário.

Comece por dominar um batalhão, uma companhia ou uma esquadra de cinco homens.

Alcançar cem vitórias em cem batalhas não significa o máximo da excelência. Excelência mais alta está em se obter uma vitória e subjugar o inimigo sem, no entanto, lutar.

Política para as operações militares

A melhor política para as operações militares é obter a vitória, atacando a estratégia do inimigo. A segunda melhor política é desintegrar as alianças do inimigo por meio da diplomacia; em seguida, atacar seus soldados, lançando um ataque ao inimigo; mas, a pior política é atacar violentamente cidades fortificadas e subjugar territórios.

- Atacar estratégias
- Atacar alianças
- Atacar soldados

Ataque a cidades

Sitiar cidades é uma tática que só deve ser utilizada como último recurso. É uma operação demorada, que pode levar aproximadamente três meses. Será necessário construir escadas protegidas, preparar os veículos e reunir o equipamento e armamento suficientes. Depois, levarão outros três meses para preparar rampas de terra para alcançar as paredes da cidade.

Se o comandante não puder controlar sua própria ansiedade e der ordens a seus soldados para avançar contra o muro da cidade como formigas, o resultado será que 1/3 deles será sacrificado, enquanto a cidade permanecerá intocada. De fato, aí está a calamidade em se atacar cidades muradas.

Vencer sem lutar

Um líder que está bem instruído em operações militares faz com que o inimigo se renda sem lutar, captura as cidades do inimigo sem atacá-las violentamente. E destrói o Estado do inimigo sem operações militares demoradas.

O prêmio maior de uma vitória é triunfar por meio de estratagemas, sem usar as tropas.

Como usar as tropas

Assim, a lei para usar as tropas é:

- Quando você tiver uma força dez vezes superior ao inimigo, cerque-o;

- Se sua força superar em cinco vezes, ataque-o;

- Quando você tiver duas vezes mais força que o inimigo, enfrente-o pelos dois lados;

- Se suas forças se equivalem, procure dividir as do inimigo;

- Se suas forças forem inferiores, seja hábil em tomar a defensiva;

- Se você for muito mais fraco do que o inimigo, deve saber a hora de empreender uma retirada.

- Se o mais fraco combater sem considerar esta razão de forças, ele será, seguramente, conquistado pelo mais forte.

Valor do comandante

O comandante é o equilíbrio da carruagem do Estado. Se este equilíbrio estiver bem colocado, a carruagem, isto é, a nação será poderosa; se o equilíbrio estiver defeituoso, a nação, certamente, será fraca.

O governante poderá trazer infortúnio para seu próprio exército de três modos:

Primeiramente, se ele ordena um avanço e o seu exército não pode ir adiante, ou emite ordens de uma retirada, desconhecendo que o seu exército não pode se retirar;

Em seguida, se ele interfere com a parte administrativa do exército, sem entender os negócios internos, confundirá os oficiais e soldados;

Em terceiro lugar, quando ele interfere com a parte operacional do exército sem saber os princípios dos estratagemas militares, gerará dúvidas e desentendimentos entre oficiais e soldados.

Tendo o comandante confundido o seu exército e perdido a confiança de seus homens, as agressões dos estados vizinhos não demorarão.

Aí está o significado da expressão: "Lançar a desordem e a confusão em suas próprias fileiras é oferecer um modo seguro para a vitória do inimigo".

Qual oponente sairá vencedor?

Aquele que sabe quando deve ou quando não deve lutar;

Aquele que sabe como adotar a arte militar apropriada de acordo com a superioridade ou inferioridade de suas forças frente ao inimigo;

Aquele que sabe como manter seus superiores e subordinados unidos de acordo com suas propostas;

Aquele que está bem preparado e enfrenta um inimigo desprevenido;

Aquele que é um comandante sábio e capaz, cujo soberano não interfere;

Aquele que conhece o inimigo e a si mesmo lutará cem batalhas sem esmorecer.

Para aquele que não conhece o inimigo, mas conhece a si mesmo, as chances para a vitória ou para a derrota serão iguais;

Aquele que não conhece nem o inimigo e nem a si próprio será derrotado em todas as batalhas.

COMENTÁRIO SOBRE O CAPÍTULO 3

A estratégia de ataque

Neste capítulo, o mestre Sun Tzu afirma: "A habilidade suprema não consiste em ganhar cem batalhas, mas em vencer o inimigo sem combater". Além disso, a verdadeira força bélica de um exército está na sua união, e não em seu tamanho.

Reconheça os medos que o impedem de agir. Vá para cima deles, enfrente-os. Você não imagina o poder que essa atitude vai gerar em você. Coragem! "Seja forte e corajoso." Quando você enfrenta, sai da inércia, demonstra que aquele que quer vencer não se rende a pensamentos de fracasso, nem é dominado pelo próprio cérebro, que apenas cumpre o seu papel tentando fazer com que seu corpo economize energia. O cérebro quer proteger você, mostre a ele que quem governa é a sua mente. Surpreenda o inimigo. Siga por caminhos inesperados. Não olhe para trás.

Faça perguntas. É preciso entender que há poder nas perguntas. Quem domina essa técnica está sempre à frente dos outros, isso é cabuloso. É preciso dominar a arte de fazer perguntas. Pare de responder ou de ficar afirmando sobre tudo. Seja elegante, fazer perguntas é a arte de transferir pressão. Todo sábio faz perguntas.

Posicionamento é muito importante para quem quer ser lembrado. Quem não está ganhando é porque ainda não aprendeu; é preciso perguntar. Saia da bolha que o impede de crescer, de conhecer novas pessoas e de ser confrontado por pensamentos diferentes dos seus. O fato de alguém ter uma visão e argumentos diferentes dos seus não significa que você seja menos ou mais capaz de compreender o mundo do que a outra pessoa. Por isso é importante saber questionar. Dessa forma, você sairá do ponto A e chegará mais facilmente ao ponto B.

Todo comandante precisa estar munido de respostas. Isso significa que é preciso começar pelas perguntas, pelo menos vinte, para não perder energia desnecessariamente durante a batalha.

Aquele que entende que deve governar seus próprios dias também vai entender que não é necessário derramar sangue numa guerra. Ele sabe usar a mente para posicionar seu exército e dar os comandos necessários.

O líder genuíno não entra numa guerra com o emocional abalado, ele tem autocontrole e o domínio de seus comandos; sabe exatamente o que tem que ser feito para que a tropa esteja em unidade.

Conhecer a si mesmo e aos seus soldados, ter o controle e a confiança do exército, e saber usar estratégias apropriadas para cada conquista são os principais fatores que levam um grupo à vitória sem precisar usar a força indevidamente.

Outro aspecto fundamental é estar em unidade. A união gera dispersão e a unidade, propósito. Quer dizer então que estar em unidade é o mesmo que caminhar juntos? Não. Para caminhar juntos, basta a união, porém, estando em união, é possível haver separação, quando o propósito de cada um deixar de ser o mesmo.

Para estar em unidade, é preciso saber que há um mesmo propósito. Isso é o que leva todo o grupo a seguir focado no mesmo objetivo e na mesma direção. Quando se está em unidade, nada abala nem interfere o processo, a individualidade é respeitada. Contudo, opiniões divergentes e personalidades diferentes são deixadas de lado, porque todos buscam apenas um alvo. Unidade!

Você é um ser trino composto por corpo, alma e espírito. Cuide bem de seu corpo com alimentação, exercício físico, hidratação; não se preocupando, mas amando. A sua alma precisa de amor, sabedoria, domínio e paz. Já o seu espírito precisa muito de relacionamento, consciência limpa e tranquila e, principalmente, de direção. Seu propósito é ativado quando corpo, alma e espírito seguem juntos na mesma direção.

CAPÍTULO IV

軍行

Disposições

Sun Tzu disse:

"Ser invencível depende da própria pessoa, derrotar o inimigo depende dos erros do inimigo."

Há três maneiras de um governante levar a desgraça ao seu exército:

1. Exigir que a força armada avance ou recue, sem se importar que não poderá ser obedecido. Chama-se a isso estorvar o exército.

2. Tentar comandar um exército da mesma forma que administra o reino, ignorando as condições que prevalecem no exército. Oportunismo e flexibilidade são virtudes militares.

3. Ignorar o princípio militar de adaptação às circunstâncias. Isso abala a confiança dos soldados.

Guerreiros hábeis de antigamente primeiro descartavam a hipótese de derrota. Depois, esperavam as oportunidades para destruir o inimigo.

O guerreiro vence os combates sem cometer erros. Não cometer erros é o que dá a certeza da vitória, pois significa conquistar um inimigo já derrotado.

Ataque e defesa

Quando não há nenhuma chance de vitória, tome uma posição defensiva. Quando há uma chance de vitória, lance um ataque.

Se as condições favoráveis são insuficientes, você deverá se defender; se as condições favoráveis são abundantes, você deverá fazer um ataque.

O especialista em defesa oculta a si mesmo até debaixo da terra. O especialista em ataque golpeia o inimigo de cima das altas esferas do céu. Assim, ele é capaz de proteger-se a si mesmo e obter a vitória.

Condições de uma vitória

A previsibilidade de uma vitória não excede ao bom senso de pessoas comuns.

Uma vitória que é ganha após uma luta feroz, e é louvada universalmente, não é o apogeu da excelência. Assim como o levantar de um fio de cabelo não é sinal de força, como ver o sol e a lua não é sinal de visão aguçada, tampouco escutar um trovão não é dom de audição aguda.

Os antigos diziam que o perito na arte da guerra vencia quando a vitória era facilmente previsível. Assim, uma batalha vencida por um perito não traz reputação de sapiência ou crédito de coragem.

As vitórias do perito são infalíveis, pois, este só combate quando o inimigo já está derrotado e ele, destinado a derrotar.

Portanto, o estrategista ocupa uma posição invencível e, ao mesmo tempo, está seguro de não perder nenhuma oportunidade militar para derrotar o inimigo.

Assim, um exército vitorioso não lutará com o inimigo até que esteja seguro das condições de vitória, enquanto um exército derrotado inicia a batalha e espera obter vitória depois.

O perito sempre entende os princípios de guerra e adota as políticas corretas, de forma que vitória estará sempre em suas mãos.

Elementos importantes na arte da guerra

Deve-se seguir cinco detalhes importantes das regras militares:

- O primeiro é a análise do ambiente;
- O segundo é o cálculo de meios humanos e materiais;
- O terceiro é o cálculo da capacidade logística;
- O quarto é uma comparação da sua própria força militar com a do inimigo;
- O quinto é uma previsão de vitória ou derrota.

Aplicação das regras militares

Um comandante excelente terá a sabedoria para entender que:

- Deve verificar as características físicas de um campo de batalha, dentro da avaliação do ambiente;
- O cálculo da força de trabalho e dos recursos de material serve para as estimativas da quantidade de meios;
- A capacidade logística deve atender às necessidades das provisões;
- Na balança do poder, um dos pesos é baseado na capacidade logística;
- A possibilidade da vitória é baseada na balança do poder.

Um exército vitorioso é como um peso de 100 quilos contra outro de apenas alguns gramas, ao passo que um exército derrotado é como um peso de poucos gramas se opondo a algumas centenas de quilos. O primeiro tem uma vantagem óbvia sobre o segundo.

Um comandante que dispuser de todo aquele peso e lançar seus homens à batalha e obter a vitória será comparado com a força de águas represadas que se lançam para baixo de uma altura de dez mil pés.

COMENTÁRIO SOBRE O CAPÍTULO 4

Disposições táticas (preparação)

Sun Tzu destaca: "Ser invencível significa conhecer a si mesmo, ser vulnerável significa conhecer ao outro".

Quem não conhece a sua identidade não é capaz de estar inteiro em uma guerra. Então, preste atenção a este código e deixe de ser raso, você é muito mais do que imagina, é o que Gênesis 1:26 diz, imagem e semelhança do Criador. Você tem o domínio sobre todas as coisas debaixo dos céus.

Pare de se rebaixar, de murmurar dizendo que não é capaz; não renegue a obra de Deus porque, neste caso, as chances de derrota serão sempre superiores.

Ter uma boa estratégia, mas não ter o princípio do autogoverno, vai desorientar o general e seu batalhão. Pegue o código: quem não lidera a própria vida não é capaz de liderar os outros. Esse é o motivo pelo qual milhares de pessoas sofrem e não conseguem prosperar nos dias de hoje, falta de autogoverno.

Em Provérbios, está escrito que: "Aquele que governa a si mesmo vale mais do que aquele que ganhou uma guerra, que tomou um Estado". Quem exerce o autogoverno é capaz de liderar qualquer tropa, seja a família, as emoções, os investimentos, os negócios e tantos outros. Esse não se aperta porque tem domínio próprio.

Em sua opinião, é melhor ser invencível ou vulnerável? Se você quer ser invencível, aprenda a ficar de boca fechada. Quem fala muito oferece munição gratuita ao inimigo. Procure ser como o sábio, ele só fala depois que o tolo descarrega todo o seu armamento bélico, verbalizando o que está em seu pensamento.

O sábio escolhe as melhores palavras e os pontos mais precisos, conecta cada um a uma pergunta e dispara. Ele tem a chance de observar a situação e de analisá-la, consegue descobrir a intenção das pessoas e pode escolher os melhores argumentos.

Aquele que fala demais perde créditos e grandes oportunidades. Preste atenção em Provérbios – este livro milenar diz que a língua é o leme, e o corpo o navio. Se o leme se desviar um grau, a sua rota será completamente diferente do planejado. Por favor, cale-se! Faça da sua boca uma fonte de sabedoria, capaz de construir e jamais destruir o que é positivo.

Quando você cuida da própria vida, demonstra o autogoverno e lidera sobre si mesmo. Os outros vão perceber em você alguém com autoridade e sabedoria, consequentemente muitos vão modelar você, mesmo que não seja essa a sua intenção.

E o que mais é preciso saber a respeito do autogoverno e da liderança? Entenda que não é um bom negócio querer liderar na força do próprio braço, essa atitude gera desconforto e atrapalha toda a equipe. Além disso, esse tipo de liderança tola demonstra o despreparo do comando, revela imaturidade e falta de confiança em si mesmo. Reflete a atitude daquele que não soube aplicar o conhecimento. Afinal, a sabedoria acontece quando o conhecimento é colocado em prática.

Um general de respeito conhece o campo de batalha. Ele previamente fez todas as análises e estudou muito bem o terreno e a região. Ele sabe calcular a força e o material necessários para uma missão.

Existem guerras que não compensam ser iniciadas, mas só entende isso aquele que reflete a respeito das situações e dos ambientes. Pessoas com antevisão, aquelas que enxergam além do que os olhos alcançam, não esperam as coisas acontecerem para tomar uma atitude.

Enfrente apenas aquelas batalhas em que você já visualizou a vitória. Quando chegar o momento de comemorar uma conquista, você vai perceber que o processo é que valeu a pena. Então, aproveite cada etapa.

Guerreiros de Xian, uma coleção de esculturas de terracota, representando os exércitos de Qin Shi Huang, o primeiro imperador da China.

CAPÍTULO V

兵勢

Energia

Sun Tzu disse:

"Administrar um exército grande é, em princípio, igual a administrar um pequeno. Dirigir um exército grande é igual a dirigir uma tropa pequena. É uma questão de comando rígido e sem favoritismo."

Tornar um exército inteiro capacitado a resistir a um ataque sem sofrer derrota depende da aplicação correta das táticas militares.

Ao adotar táticas frontais ou de surpresa, um comandante assegura que seu exército não sofra derrotas frente ao inimigo.

A descoberta dos pontos fortes e fracos permite que o exército caia sobre seu inimigo como uma pedra sobre ovos.

Táticas

Durante uma guerra, o comandante deve adotar táticas ostensivas para confrontar o inimigo e usar táticas de inteligência, se quiser conquistar a vitória.

月百姿

信仰の三日月

華盛

Ilustração de Tsukioka Yoshitoshi

O comandante, ao aplicar táticas de inteligência, torna-se tão infinito quanto o céu e a terra e, como o fluxo interminável de um rio. Assim como o Sol e a Lua, ele para e logo recomeça como o movimento da natureza.

Existem só cinco notas musicais, mas as suas combinações produzem as mais agradáveis e maravilhosas melodias que se ouve. Existem só cinco cores básicas, mas combinadas produzem as cores mais bonitas e esplendorosas que se vê. Existem só cinco sabores, mas sua mistura produz os gostos mais deliciosos que se provam.

Vamos lembrar que na China antiga, havia cinco notas musicais, isto é: gongo, shang, jue, zhi e yu; cinco cores básicas: azul, amarelo, vermelho, branco e negro; e cinco sabores cardeais: azedo, salgado, pungente, amargo e doce.

Assim são as operações militares, existem apenas as operações ostensivas e as de inteligência, mas suas variações e combinações darão lugar a uma série infinita de manobras. Táticas ostensivas e de inteligência são mutuamente dependentes e são como um movimento cíclico que não tem nem um começo nem um fim. Quem pode saber sua infinidade?

Vantagens e oportunidades

Uma torrente que flui rapidamente pode fazer saltar pedras pesadas do leito do rio por causa do impulso forte da água.

Um falcão que voa tão depressa quando golpeia pode destruir sua presa, devido à oportunidade e rapidez de sua investida.

Acontece o mesmo com um comandante, que pode explorar sua própria posição de vantagem e lançar um ataque rápido e afiado. O potencial dele é como um arco, completamente esticado, que lança, no momento preciso, a flecha certeira. No tumulto de uma batalha, o seu exército permanece calmo. No caos da guerra, onde as posições mudam constantemente, ele permanece invulnerável.

Exploração das vantagens

A desordem nasce da ordem, a covardia origina-se da coragem e a fraqueza nasce da força. A ordem e a desordem dependem da organização e da logística, a coragem e a covardia dependem das circunstâncias ou da vantagem estratégica, a força e a fraqueza dependem das disposições.

Então, se o comandante deseja que o inimigo se movimente, ele se mostra. O inimigo certamente o seguirá. Se ele quer atrair o inimigo, ele ilude, apresentando algo lucrativo para o inimigo, e o inimigo por certo acreditará. Assim, o comandante oferece ao inimigo pequenas vantagens, mas o espera armado e com toda a sua força.

Um líder qualificado em assuntos de guerra explora sua vantagem estratégica e não a pede aos seus homens. Assim, esse comandante deve saber selecionar os homens certos e explorar uma situação favorável.

Quem explora a vantagem estratégica, dirige seus homens como se fossem troncos ou pedras. A natureza dos troncos ou pedras é permanecer impassível se o solo é plano; ou rolarem se o solo está inclinando; se eles são quadrados, tendem a parar, se são redondos, tendem a rolar.

Assim, a vantagem estratégica do comandante pode ser comparada a uma pedra redonda que rola por uma montanha íngreme de dez mil pés de altura. É este o significado de vantagem estratégica.

COMENTÁRIO SOBRE O CAPÍTULO 5

O uso da energia (propensão)

Neste capítulo, o mestre reforça: "Existem apenas cinco notas na escala musical, mas suas combinações são inimagináveis, somente cinco cores básicas, mas nunca vimos todas as suas misturas. Há cinco sabores, mas suas variações são ilimitadas". É verdade, no Brasil, são sete as notas musicais, mas o que importa é o que é possível criar a partir da combinação dessas notas.

Qual é a música da sua vida? O que mais toca o coração das pessoas é a música. Tudo é música, o som do vento, do mar e dos animais. Nós temos música saindo de dentro de nós. Ela tem o poder de alcançar muitas outras vidas. Que melodia você tem emitido ultimamente?

A música tem poder de cura. Existem sons e acordes que estimulam a criatividade, apaziguam a alma e são capazes de contribuir com a elaboração de grandes projetos. A música traz clareza ao pensamento, muitos generais se utilizam dela como estratégia para elaborar o plano de ação e escolher as melhores táticas para o seu exército.

Qual é a trilha sonora da sua vida? Nós fazemos parte da maior orquestra que já existiu na história. Ao mesmo tempo que compomos músicas, tocamos instrumentos e alcançamos vidas, essa é a nossa missão. A música é a representação da alma.

Não existe música de uma nota só. É preciso ter progressão para tocar a vida de outras pessoas. Que você seja uma música suave nesta geração.

É necessário entender que com pouco é possível fazer muito. Infinitas são as composições extraídas de apenas sete notas musicais. Cinco pães e dois peixes foram suficientes para o milagre. Jesus alimentou uma multidão. Todos ficaram satisfeitos.

Você pode olhar para o que tem agora e pensar que é pouco. Pode ser um pequeno grupo, mas basta um que se posicione e o milagre acontece. Basta um se colocar de pé para impactar toda uma geração. Mas é somente um! Um é apenas o que os seus olhos podem ver no momento.

Existe um exército de generais se levantando, tomando suas vestes e se preparando para o grande dia. Porém, um é apenas o que os seus olhos veem neste momento.

O líder que entende isso é como um rio: sabe-se onde começa; é pequeno, mas não se sabe onde vai terminar, porque ele não represa mais o volume de água vindo da fonte. Ele deixa fluir o alimento que recebe, aquilo que hidrata sua alma e vem carregado de conhecimento torna-se sabedoria e alcança proporções jamais vistas. É impossível segurar!

Cuide da sua vida. Dê atenção ao seu corpo, à sua alma e ao seu espírito. Não entre em questões alheias. Não se impressione com números. Liderar poucas ou muitas pessoas exige a mesma dedicação e estratégia. Isso se torna infinito.

Descobrir pontos fortes e fracos é o suficiente para uma tropa inteira derrotar o inimigo aplicando táticas de inteligência. Prever acontecimentos e agir para facilitar ou impedir seu desenrolar é ação daquele que caminha com o general do reino e busca a sua presença constantemente.

A boa convivência estreita o relacionamento e, naturalmente, promove atitudes proativas em favor de toda a boa obra. É como aquele filho que se lança nos braços do pai sem se importar com o que pode acontecer em seguida, sem pensar no tempo ou na circunstância, porque o que importa no momento é desfrutar de sua presença, sentir o seu amor. Esse relacionamento é tão profundo que produz cura, trata a alma e transforma atitudes. Aquele que costumava agir apenas reagindo a estímulos ou ações sofridas, agora, age em favor do próximo.

Você não tem noção do tamanho de sua força. O comandante sábio é capaz de oferecer à sua tropa tudo o que ela necessita para ativar todo o seu potencial e aplicar a força de cada um no momento certo e para a situação exata. Ele não perde a oportunidade de extrair o melhor desempenho de seu batalhão.

Um exército bem-treinado e estrategicamente posicionado consegue, no momento exato, se lançar contra o seu inimigo feito uma avalanche, como uma grande pedra descendo por uma montanha íngreme; ninguém o segura.

O bom comandante habilmente elabora infinitas combinações táticas e, como notas musicais, dá vida a potentes melodias, em ritmos variados e movimentos cíclicos que envolvem o inimigo em suas tão bem-orquestradas composições.

CAPÍTULO VI

Fraquezas e forças

Sun Tzu disse:

"Aquele que ocupa o campo de batalha primeiro e espera o inimigo estará descansado; aquele que chega depois e se lança na batalha precipitadamente estará cansado."

Assim, um líder competente movimenta o inimigo e não será manipulado por ele.

Apresente uma vantagem aparente ao inimigo e ele virá até sua armadilha. Ameace-o com algum perigo e você poderá pará-lo.

Então, a habilidade do comandante consiste em cansar o inimigo quando este estiver descansado; deixá-lo com fome quando estiver com provisões; movê-lo quando estiver parado.

Explorando vulnerabilidades

Um comandante e suas tropas podem marchar uma distância de mil *li*, sem se fadigarem, porque a marcha se dá na área onde o inimigo não montou suas defesas.

Ilustração de Tsukioka Yoshitoshi

Se um comandante ataca com confiança é porque sabe que o inimigo não pode se defender ou fortalecer sua posição. Se um comandante defende com confiança é porque está seguro que o inimigo não atacará com superioridade de forças naquela posição.

Assim, contra o especialista em ataque, o inimigo não sabe onde se defender. Por outro lado, contra um especialista em defesa, o inimigo não sabe onde atacar.

É importante ser extremamente sutil, tão sutil que ninguém possa achar qualquer rastro.

Deve ser extremamente misterioso, tão misterioso que ninguém possa ouvir qualquer informação.

Se um comandante puder agir assim, então, poderá conservar o destino do inimigo em suas próprias mãos.

O inimigo não poderá opor resistência ao seu ataque, se você atacar os pontos fracos dele.

Ao recuar, não pode ser perseguido, porque, movendo-se tão rapidamente, o inimigo não terá condições de perseguir ou alcançar.

Dominando a vontade do inimigo

Quando resolver atacar, o inimigo não terá escolha, mesmo se defendendo com altas muralhas e fossos profundos. Ele será compelido a lutar porque foi atacado onde deve se defender.

Se resolvermos não lutar contra ele, não o faremos, pois, mesmo que a nossa defesa seja apenas uma linha desenhada, o desviaremos para outro objetivo.

Se conseguirmos fazer o inimigo denunciar sua posição, ao mesmo tempo em que ocultamos a nossa, podemos reunir as nossas tropas e dividir as do inimigo.

Se concentrarmos nossas forças em um lugar, enquanto o inimigo dispersa suas próprias forças em dez lugares, então seremos dez contra um quando lançarmos o nosso ataque.

Se tivermos que usar muitos para golpear poucos, então será bastante fácil negociarmos, pois, o inimigo será pequeno e fraco.

Forçando o inimigo a tomar precauções

O lugar que nossas forças pretendem atacar não deve ser do conhecimento do inimigo. Deste modo, se ele não puder prever o lugar do nosso ataque, terá que se precaver em muitos lugares e quando ele toma precauções em muitos lugares, suas tropas serão pouco numerosas, seja em que lugar for.

- Se o inimigo toma precauções na frente, sua retaguarda estará fraca;
- Se ele toma precauções na retaguarda, sua frente será frágil;
- Se sua esquerda estiver fortalecida, sua direita estará debilitada;
- Se sua direita estiver bem preparada, a sua esquerda será destruída facilmente;
- Se ele fortalece em todos lugares, ele estará fraco em todos lugares.

Aquele que possui poucas forças tem que tomar precauções em todos lugares contra possíveis ataques; aquele que tem muitas tropas compele o inimigo a preparar-se contra seus ataques.

Conhecer a hora e o dia da batalha

Se um comandante sabe o lugar e a hora de uma batalha, ele pode conduzir as suas tropas para até mil *li*, mesmo para uma batalha decisiva. Se ele não sabe nem o lugar, nem a hora de uma batalha, então o seu lado esquerdo não pode ajudar a sua direita e a ala direita não pode salvar a esquerda; a tropa da frente não pode auxiliar a tropa da retaguarda, nem a tropa da retaguarda pode ajudar a tropa da frente. E assim será, não importando se as tropas estejam a alguns metros ou dezenas de quilômetros.

Determinando a situação do inimigo

Embora as tropas (inimigas) sejam muito numerosas, de que forma isto poderá ajudá-lo a obter uma vitória para o seu lado?

A vitória pode ser criada. Até mesmo se as tropas do inimigo forem muitas, nós podemos achar um modo de torná-las impossibilitadas de lutar.

Considere e analise a situação do inimigo e onde ele deseja batalhar, assim, você pode ter uma compreensão clara das suas chances de sucesso.

Determine os seus padrões de ataque e de defesa, descubra os seus pontos vulneráveis. Contando o número dos soldados e de cavalos, você pode saber o tamanho da tropa e seus pontos fracos.

Realize combates de menor importância para determinar onde o inimigo é forte e onde ele é vulnerável.

Dom da arte militar

O mais importante dom da arte militar de enganar o inimigo é esconder suas intenções. Assim, mesmo os espiões mais penetrantes do inimigo não poderão espionar e, nem sequer o homem mais sábio poderá conspirar contra você.

Ainda que você torne pública a tática que o levou às vitórias, elas não serão compreendidas. Embora todo o mundo saiba suas táticas vitoriosas, jamais conseguirão aprender como você chegou a definir a posição vantajosa que o levou a vitória.

As vitórias em batalha não poderão, jamais, ser repetidas. As circunstâncias de cada combate são únicas e exigem uma resposta própria e particular.

Táticas militares são como água corrente

Táticas militares são como água corrente. A água corrente sempre se move de cima para baixo, evita o terreno alto e flui para o terreno baixo.

Assim, são as táticas militares que sempre evitam os pontos fortes do inimigo e atacam os seus pontos fracos.

Assim como o rio altera o seu curso de acordo com os acidentes do terreno, o exército varia seus métodos de obter a vitória de acordo com o inimigo.

Do mesmo modo que a água não mantém sua forma constante, também na guerra não há condições constantes.

Aquele que dirige as operações militares com grande habilidade pode obter a vitória empregando táticas apropriadas de acordo com as diferentes situações do inimigo. Tal qual os cinco elementos (metal, madeira, água, fogo e terra), onde nenhum é exclusivamente predominante, as quatro estações, das quais nenhuma dura para sempre; os dias que são ora longos, ora curtos; e a lua, que ora cresce e ora mingua.

COMENTÁRIO SOBRE O CAPÍTULO 6

O cheio e o vazio

"Para tomar o que se ataca, ataque onde não há defesa; para se defender, defenda-se onde o inimigo não parece atacar", destaca Sun Tzu.

O ataque e a defesa dependem da visão do líder, de sua autoconfiança e da confiança que deposita em seus liderados. É necessário treinar, não é por empolgação, é para ficar bom, para saber o que se está fazendo sem perder o foco.

Quando treinamos, ajustamos nossa atenção. É como se tivéssemos um radar para nos manter atentos e prontos para agir ao menor sinal de alerta.

Henry Ford dizia que osbstáculos são problemas que criamos quando tiramos os nossos olhos do alvo. Seja flexível para alterar os métodos da batalha sempre que for preciso, assim como um rio que se desvia das pedras e de qualquer outro obstáculo em seu curso.

Observe a água, ela não reconhece um obstáculo como um impedimento para o seu fluxo. A água simplesmente se desvia do obstáculo, porque não o vê como um inimigo, apenas o contorna para seguir o seu curso natural.

Aquele que tem a inteligência emocional baixa, normalmente, é porque não buscou o conhecimento a respeito, costuma criar obstáculos e enxergá-los em tudo, o tempo todo. Essa pessoa não é capaz de se desviar, não conhece a técnica da água que se chama contorno e capacidade de adaptação. Perdemos muito tempo quando paramos diante de uma dificuldade sem saber como resolvê-la. Pessoas inflexíveis sofrem com isso, porque reclamam demais.

Há uma forte tendência de pessoas com baixa inteligência emocional procurarem ajuda com alguém que age da mesma forma, ou seja, com quem não consegue se adaptar a situações adversas e não tem capacidade de criar novas oportunidades a partir de suas próprias experiências. Esteja atento, porque o vitimismo se prolifera a partir desses encontros.

O vitimismo é tão nojento que basta um com essas características para contaminar os demais. Essa é a "treta" do universo. Deprimente. Você precisa entender, se ainda não aprendeu, que há responsabilidades que Deus não assume por você. Então, eu aconselho fortemente que você sinta nojo do vitimismo. O vitimista se apresenta com ideias infrutíferas e sensações de derrota, ele jamais vai ser capaz de resolver problemas. Eu não suporto o vitimismo. Imagine essa característica na vida de um general de guerra, ruína certa. O batalhão nunca o teria para liderar a confiança do grupo; nenhum deles o respeitaria nessas condições.

Ressignificar é dar um novo sentido ao que mais o feriu, ou seja, àquilo que não aconteceu como o esperado. Entenda que se não funciona de um jeito tem que funcionar de outro, mas o ser humano, com falta de inteligência emocional, não é capaz de se adaptar a uma determinada circunstância e rapidamente criar estratégias para contornar a dificuldade.

A melhor estratégia é aprender a fazer perguntas tirando o foco do problema, deixando de lado o sentimento e canalizando a emoção; essa atitude evita constrangimentos, inclusive para a outra parte envolvida na situação.

Imagine um exército diante de um inimigo muito mais estruturado e armado com os melhores e mais potentes equipamentos bélicos, não tem saída. Fatalmente, esse exército será capturado se não agir rápido e com inteligência.

É preciso se atentar para as habilidades do batalhão e elaborar uma estratégia de contorno para despistar o inimigo. É como Davi diante de Golias, ele usou sabiamente a sua inteligência, contornou a dificuldade acionando sua melhor estratégia naquele momento, fez de sua precisa pontaria a mais acertada oportunidade e aniquilou o inimigo.

Oportunidades são reveladas na crise, mas só tem olhos para isso aquele que sabiamente enxerga o lado positivo de cada situação. Porque tudo é bom.

Faça a gestão de suas emoções. Jamais perca tempo reclamando. Não murmure, não afirme como se fosse o único conhecedor dos fatos, aprenda a captar a energia, convertê-la e canalizá-la para algo construtivo. Faça perguntas a si mesmo, quando não estiver satisfeito com uma situação: como isso pode ser feito de outra maneira? O que foi que eu disse para que isso não tenha saído como eu esperava?

É bom conhecer várias estratégias, mas, para começar, é fundamental focar naquelas que você domina.

Lembre-se que uma batalha nunca será igual à outra. Por isso, é preciso acessar a sabedoria para cada uma das que surgirem. Você só vai poder usar armas mais pesadas que carregam códigos poderosos de sabedoria, se usar primeiro aquelas que já tem.

CAPÍTULO VII

Manobras

Sun Tzu disse:

"Em operações militares, o comandante recebe as ordens do soberano, reúne seus exércitos, formando as unidades, e os mobiliza para confrontar o inimigo. Durante este processo inteiro nada se torna mais difícil do que lutar para colocar-se em uma posição favorável frente ao inimigo."

O segredo está em transformar o desvio em linha reta, o infortúnio em vantagem. Assim, tomar uma longa e tortuosa estrada, após ter atraído o inimigo para fora dela e, ainda que tenha partido depois dele, conseguir chegar ao objetivo antes.

É difícil, porque se trata de transformar um tortuoso caminho em uma estrada reta, transformar uma desvantagem em vantagem.

O bom estrategista pode enganar o inimigo, levando-o a percorrer uma rota tortuosa, oferecendo vantagens fáceis; fazendo com que o inimigo chegue depois e seja surpreendido.

Ilustração de Utagawa Kuniyoshi

Perigos da manobra militar

Na manobra não há só vantagens, mas também perigos.

Se você se esforça para ocupar uma posição favorável em uma batalha e conduz a totalidade de suas forças, naturalmente, você terá a sua velocidade reduzida. Se, porém, você deixa para trás as suas tropas, os seus equipamentos e as suas provisões, isto estará perdido.

Assim, se o seu exército, para obter uma vantagem, tivesse que recolher suas armaduras e deixar suas posições com rapidez, executando uma marcha forçada de mil *li*, sem parar nem de dia, nem de noite, os seus principais comandantes seriam capturados; os seus homens mais fortes e vigorosos chegariam primeiro, os fracos e cansados se desgarrariam. E, deste modo, só 1/10 do exército chegaria na hora certa.

Se eles tivessem que correr cinquenta *li* para procurar uma posição favorável, o comandante das vanguardas estaria perdido e só a metade do exército chegaria lá na hora certa.

Se eles tivessem que correr trinta *li* para lutar por alguma vantagem, só 2/3 chegariam. Todo o mundo sabe que um exército será derrotado pelo inimigo se não tiver equipamentos, provisões ou material de apoio.

Conhecimento pleno

Um líder que não entende as intenções, os enredos e os esquemas dos governantes dos Estados vizinhos não pode fazer alianças com eles.

Um líder que não está familiarizado com as características topográficas das diferentes montanhas e florestas, dos terrenos sujos e dos pântanos, não pode administrar a marcha de um exército.

Um líder que não contrata guias locais não pode obter uma posição favorável no terreno para a batalha.

A arte de manobrar os exércitos

Em operações militares, você pode obter a vitória com estratagemas militares. Você deve manobrar para obter as condições favoráveis, para dispersar ou concentrar o exército de acordo com as circunstâncias.

A ARTE DA GUERRA 孫子兵法

Um bom estrategista deve ser:

- Tão rápido quanto o vento forte, ao entrar em ação;

- Tão estável quanto as florestas silenciosas que o vento não pode tremer, quando se mover lentamente;

- Tão feroz e violento quanto as chamas furiosas, quando invadir o estado do inimigo;

- Tão firme quanto as montanhas altas, quando estacionar;

- Tão inescrutável quanto algo atrás das nuvens e golpear tão repentinamente quanto o trovão;

Deve dividir suas forças para saquear o território do inimigo, e posicioná-las em locais estratégicos para a defesa do território recentemente capturado.

Deve pesar as vantagens e desvantagens antes de partir para o combate.

Aquele que primeiro domina esta tática obterá a vitória. Assim é a arte de manobrar os exércitos.

Para administrar um exército grande

Um antigo livro sobre guerra, do tempo de Sun Tzu diz que a palavra falada não vai longe o suficiente, por isso se recomenda o uso de gongos e tambores. Nem os objetos comuns podem ser vistos com clareza suficiente: daí a instituição de estandartes e bandeiras.

Gongos e tambores, estandartes e bandeiras são meios pelos quais os ouvidos e os olhos do anfitrião podem ser focalizados em um ponto específico.

Se a visão e a audição convergirem simultaneamente no mesmo objeto, as evoluções de até um milhão de soldados serão como as de um único homem.

Na luta noturna, então, faça muito uso de tiros de sinalização e tambores, e na luta de dia, de bandeiras e estandartes, como um meio de influenciar os ouvidos e os olhos de seu exército.

Regra para administrar o moral

Você pode desmoralizar o inimigo e fazer o seu comandante perder o ânimo. Normalmente, no começo de guerra, o espírito do inimigo é agudo e irresistível. Um certo período depois recusará e afrouxará. Nas fases finais da guerra, ficará fraco, e os soldados estarão sem ânimo para lutar.

O líder hábil sempre evita o inimigo quando a moral dele é alta e irresistível, e o ataca quando ele está cansado e relutante em lutar. Esta é a regra para administrar o moral.

Regra para controlar a força militar

O líder leva as suas tropas para perto do campo de batalha para esperar pelo inimigo que vem de longe; conduz as suas tropas descansadas contra o inimigo exausto, e traz as suas tropas bem-alimentadas contra os soldados inimigos que têm fome. Esta é a regra para o controle da força militar.

Condições mutáveis das táticas

O líder habilidoso nunca se depara contra um inimigo que se alinha em perfeita ordem unida com bandeiras alinhadas e altas, nem ataca um inimigo que adota uma formação de batalha forte e impressionante. Isto mostra que ele tem uma compreensão clara das condições mutáveis das táticas.

Princípios das manobras militares

Alguns princípios das manobras militares:

1. Nunca lance um ataque sobre um inimigo que ocupa um terreno alto;

2. Nem invista contra o inimigo quando há colinas que o apoiam;

3. Nem persiga um inimigo que finja retroceder;

4. Nem ataque forças do inimigo que estão descansadas e fortes;

A batalha de Wafanghou, ilustração de Hermanus Willem Koekkoek

5. Nunca morda uma isca oferecida pelo inimigo, nem obstrua o inimigo que se retira da frente.

6. Para um inimigo cercado, você deverá deixar um caminho para a saída; e não pressione com muito vigor um inimigo que está acuado e desesperado em um canto sem saída.

Estes são os caminhos para a arte da guerra.

COMENTÁRIO SOBRE O CAPÍTULO 7

Manobrando

Sun Tzu disse: "Em operações militares, o comandante recebe as ordens do soberano, reúne seus exércitos, formando as unidades, e os mobiliza para confrontar o inimigo. Durante este processo inteiro, nada se torna mais difícil do que lutar para colocar-se em uma posição favorável frente ao inimigo."

Novos resultados acontecem a partir de novas ações, então eu pergunto: qual é a justificativa para alguém não se movimentar em busca de novas experiências, de algo novo? Pense: qual será o resultado do exército na guerra, se o general não preparar a tropa? Se não estudar o terreno? Se não movimentar o cérebro arquitetando as estratégias de ataque e defesa? Ruína.

Movimente-se! Quando você está parado, não consegue sair do lugar, porque a inércia é pesada. Tudo se move. Observe a natureza e veja que nela nada se mantém intacto, tudo tem movimento ali e tudo se renova. Todas as coisas são frequências, então é preciso saber gerar e captar essas mudanças, entender sobre ondas para aprender a fazer coisas que não imaginamos serem possíveis.

A Terra gira 1.675 km/h, mas as pessoas insistem em não se mover, querem permanecer paradas e isso me intriga demais, porque apenas o que é artificial não tem a capacidade de se mover, mas o ser humano é a obra-prima da criação e insiste em permanecer no mesmo lugar. Não faz sentido.

Não é apenas sobre mudar de vida, mas sobre sair da inércia, conquistar a prosperidade, ou seja, não parar de crescer. Contudo, o crescimento dá trabalho, dói e, portanto, muitas pessoas preferem se encostar a alcançar a prosperidade e vivê-la plenamente.

Tudo o que se vive hoje não passa de uma fase! Não se apegue a situações, há novas oportunidades à sua disposição, infinitas histórias a serem vividas, livros estocados dentro de pessoas, mas o inacreditável é que elas não agem para transformá-los em realidade. A sua experiência é remédio para alguém que sofre a mesma dor pela qual você passou. É fato, pessoas estão morrendo, porque você não está se manifestando, porque não está transbordando a mensagem que carrega no coração. Não faça isso!

É importante que você preste atenção ao que vou dizer: 98% das pessoas do mundo não se movem, porque sentem medo, estão paralisadas. Essa é só uma prova da tragédia que o medo causa na humanidade, é assustador.

Não adianta querer viver experiências diferentes, procurar saber como se desenvolve a capacidade de enxergar oportunidades em meio a problemas, se a mentalidade permanecer a mesma, porque certamente você não vai saber o que fazer com essa informação.

É importante que você ame problemas. Se você é o tipo de pessoa que foge deles, tenha a certeza de que já perdeu muitas oportunidades. Acredite, é na crise que surgem as melhores oportunidades. A riqueza, por exemplo, não acaba, ela troca de mãos.

Seremos lembrados por duas coisas: os problemas que criamos e os que resolvemos. E o maior problema do mundo você sabe qual é? É você, isso significa que todos os dias você se depara com esse mesmo problema e precisa começar se resolvendo, se quiser vencer na vida e ser capaz de solucionar os outros que surgirem. Ouça o que vou dizer: não abandone nenhum problema.

O interessante é que muitos são chamados e poucos escolhidos. O chamado acontece dentro de si mesmo, por isso aqueles que têm o coração duro não compreendem, logo, não correspondem a esse tão importante chamado. Não é o mais forte que sobrevive, mas aquele que tem o coração simples e puro. Pensando dessa forma, perceba que é o coração ensinável que te leva a percorrer caminhos mais altos e nobres.

CAPÍTULO VIII

九變

As nove variáveis

Sun Tzu disse:

"O general que compreende perfeitamente as vantagens que acompanham a variação de táticas sabe como lidar com suas tropas."

Táticas militares

Ao conduzir as suas tropas, ele não deverá acampar ou estacionar em terreno difícil; ele deverá aliar-se com os governantes dos locais onde a estrada é estrategicamente importante; não deverá demorar-se em terreno aberto; deverá estar preparado com astúcia e com estratagemas quando penetrar em terreno sujeito a emboscadas; deverá lutar com muita agressividade em um terreno do qual não há nenhum modo para avançar ou para entrar em retirada.

Um comandante deve entender claramente estas táticas. Se ele as compreende, então ele conhece sobre as operações militares. Se ele não tem uma compreensão clara dos reais valores destas táticas, ele não saberá usá-las em seu favor, mesmo que esteja familiarizado com a topografia do terreno onde se dará a batalha.

A ARTE DA GUERRA 孫子兵法

Se um comandante não sabe estas variáveis táticas, ele não poderá obter o máximo de seus soldados, mesmo que conheça as cinco vantagens.

Há algumas estradas que não devem ser percorridas; e inimigos que não devem ser atacados. Há algumas cidades que não devem ser capturadas, alguns territórios que não devem ser contestados, e algumas ordens do soberano que não precisam ser obedecidas.

Ponderando vantagens e desvantagens

Um comandante sábio deve levar em consideração as vantagens e desvantagens. Conhecendo as vantagens, ele terá sucesso nos seus planos. Conhecendo as desvantagens, ele poderá solucionar as dificuldades.

Se você quer subjugar os estados vizinhos, ameace-os com o que eles temem; se você quer mantê-los como servos, utilize a coação; se você quer enganar o inimigo, ofereça-lhe pequenas vantagens.

Em operações militares, esta é uma regra útil: "Nunca confie na probabilidade de o inimigo não estar a caminho, mas dependa de sua própria prontidão para o reconhecer. Não espere que o inimigo não ataque, mas dependa de estar em uma posição que não possa ser atacado".

Fraquezas fatais de um comandante

Há cinco fraquezas fatais de um comandante:

1. Se ele é valente e com descaso pela vida, poderá ser morto facilmente;

2. Se ele é covarde na véspera de uma batalha, será capturado facilmente;

3. Se ele é irritável, será provocado facilmente;

4. Se ele é muito suscetível à honra, estará sujeito a ser envergonhado;

5. Se ele é muito benevolente e preza as pessoas, estará sujeito a se tornar hesitante e passivo.

Estas cinco fraquezas devem ser cuidadosamente observadas e evitadas. São as faltas de um comandante que podem mostrar-se fatais na condução de uma guerra.

A destruição do exército inteiro e a morte dos líderes é o resultado inevitável destas cinco fraquezas fatais.

COMENTÁRIO SOBRE O CAPÍTULO 8

Variações táticas

"Um general sábio pondera, pesa o que há de favorável, de desfavorável, e decide o que é mais acertado. Ao levar em conta o que é favorável, torna o plano executável, ao levar em conta o que é desfavorável, soluciona as dificuldades."

O segredo está em ser simples, olhar as coisas com naturalidade, porque a simplicidade é uma das guerras mais poderosas. Não entre em qualquer disputa. E se entrar, não lute de qualquer maneira, porque não adianta ser um líder e possuir fraquezas que podem levá-lo à ruína. Não troque a sabedoria por conhecimento, ao contrário, aplique rapidamente o conhecimento adquirido e ele se transformará em sabedoria. Essa ação poderosa vai gerar autoridade naquilo que você se propôs a fazer. Não retenha o conhecimento.

Ative o seu relacionamento com o Criador, seja grato por tudo. Se você não vê motivos para agradecer, é necessário fazer uma avaliação de sua consciência. Lembre-se que Ele fez tudo por você, a obra consumada da cruz é o suficiente. Avance colocando o seu corpo para te obedecer. Monte um negócio, estude, não desista. É assim que se prepara o batalhão para a guerra, com treino constante e intenso. Fraquejar não é uma opção.

Você sabe o que é problema? É aquilo que carrega sempre uma recompensa; há uma área no cérebro que se alimenta de recompensas. Quem desiste de solucionar os seus problemas não está abastecendo essa parte do cérebro.

Você é capaz de conseguir tudo o que colocar na sua cabeça como recompensa. E o código da recompensa está em experimentar o desfrute na imaginação. Sinta na alma o que você ainda não está vivendo, isso é poderoso e destrava qualquer um, ou seja, é o suficiente para acontecer. Entenda que não há mal nenhum em cair, desde que você se levante rápido, se recupere.

Cuidado com as palavras, porque, assim como elas têm o poder de transformar resultados, também podem ser capazes de gerar crenças limitantes nas pessoas, quando acreditam em algo que foi dito como estímulo para alcançar um determinado objetivo.

Entenda que os resultados já foram batidos, você apenas não os alcançou ainda por causa dos obstáculos que cria ao longo do dia. Quanto tempo você perde usando o celular? Quanto tempo gasta com reclamações ou insistindo em alimentar o cérebro com preocupações? Tudo isso é o que o leva a ter um dia menos produtivo e com resultados abaixo do esperado.

Você sabia que um líder precisa de bom alimento para ter condições de alimentar a sua tropa? Pois é, maior é o que serve, então se você aprende algo novo, é fundamental compartilhar esse conhecimento o quanto antes para aumentar a sua autoridade no assunto e consequentemente a sua capacidade de gerir uma equipe.

A prosperidade é um grande problema, já pensou nisso? É necessário muito empenho, foco e habilidade para se manter próspero. A prosperidade é natural e é legítimo vivê-la na Terra. Eu pergunto a você: é possível alguém não desejar a prosperidade? Aquele que foge de problemas talvez não saiba, mas esse é claramente o comportamento de quem não quer viver a prosperidade.

Um líder conhece as várias táticas de como extrair o melhor de sua tropa. Ele sabe qual é o terreno apropriado para instalar seu exército e administra bem as vantagens e desvantagens de uma operação.

O líder de respeito conhece a fundo a diferença entre poder e autoridade. Todos deveriam saber. Autoridade é o que vem do alto, de cima para baixo, e poder é o que vem de baixo para cima e precisa ser construído. Tudo o que você tiver que fazer, faça como se estivesse fazendo para Deus, porque será o seu melhor. É aí que seus tijolinhos começam a ser erguidos, e o poder construído.

Tempo de investimento em um negócio e de desenvolvimento também são essenciais para a construção do poder.

Seja capaz de reconhecer a presença do inimigo e posicione-se de maneira que ele não tenha condições de atacá-lo. Depois vá para cima!

CAPÍTULO IX

行軍

Movimentações

Sun Tzu disse:

"Na arte militar e na boa gestão das tropas, só há, em geral, dois tipos de coisas: aquelas que são feitas em segredo e aquelas que são feitas abertamente. Mas na prática é uma cadeia de operações cujo término não conhecemos, é como uma roda em movimento que não tem início nem fim."

Com relação ao posicionamento do exército

Pegue os nomes de todos os oficiais, tanto superiores como subalternos, escreva-os em um catálogo à parte, com uma nota sobre os talentos e capacidades de cada um, a fim de poder empregá-los com vantagem caso a ocasião se apresente, assim todos os seus comandados serão persuadidos de que sua principal preocupação é preservá-los de qualquer perigo.

Reprodução de parte de uma tela dobrável que retrata as Guerras Genpei.

Com relação às montanhas

Um comandante tem que observar o seguinte: ao passar por montanhas, deve buscar estar seguro, ficando perto dos vales; selecionar um lugar em solo alto que receba a luz solar para realizar os acampamentos militares e não subir para alcançar o inimigo. Esta é a lei para posicionar-se com relação às montanhas.

Com relação aos rios

Depois de cruzar um rio você deve ficar longe dele. Se os ataques inimigos partem de um rio, não o enfrente na água. Em vez disso, é vantajoso permitir que metade das tropas atravesse, para então os golpear. Se você deseja lutar com o inimigo, não enfrente suas forças de invasão perto de um rio. Em vez disso, selecione um lugar em solo alto que receba a luz solar para tomar posição e nunca acampe no sentido da correnteza do inimigo. Esta é a lei para posicionar-se com relação aos rios.

Com relação aos pântanos salgados

Cruze os pântanos salgados depressa e sem demora. Ao encontrar as tropas do inimigo em um pântano salgado, posicione-se perto da grama com as costas voltadas para a floresta. Esta é a lei para posicionar-se com relação aos pântanos salgados.

Com relação às terras planas

Em locais planos, selecione um lugar acessível, posicione-se com seu flanco direito tendo um campo alto às costas, terras perigosas em frente e solo seguro à sua retaguarda. Esta é a lei para posicionar-se com relação às terras planas.

Estas são as mesmas quatro leis que permitiram que o Imperador Amarelo derrotasse os quatro imperadores (líderes de quatro tribos no tempo do Imperador Amarelo).

Vantagens oferecidas pelo terreno

Todos os chefes preferem estacionar as suas tropas em terreno alto ao invés de terreno baixo; preferem a luz solar em lugar da sombra; e onde colheitas podem crescer e o solo é protegido. As tropas estarão livres de doenças, e isto garantirá vitória.

Ao encontrar colinas ou diques, você deverá estacionar suas tropas no lado do sol, com as colinas ou diques a sua retaguarda. Estas vantagens são oferecidas pelo terreno, cabendo ao comandante saber aproveitá-las.

Cuidados com a natureza

Se uma chuva pesada desaba na parte de cima de um rio e forma torrentes que se apressam até as partes baixas, não cruze o rio, mas espere até que as águas se acalmem.

Quando você encontrar regiões perigosas, nunca se aproxime, e evite-as com rapidez: um desfiladeiro com um rio que corre no fundo; uma barranca, com precipícios perigosos ao redor; solos densamente cobertos com uma mata alta; uma terra pantanosa; e uma passagem estreita entre duas montanhas.

Mantenha-se longe dessas posições e deixe que o inimigo se aproxime delas; mantendo-as a nossa frente, poderemos manobrar e o inimigo as terá pela retaguarda.

Se o exército tiver em seus flancos ravinas escarpadas, pântanos, juncos e cana, montanhas arborizadas com vegetação densa, você deve examinar cuidadosamente e repetidamente para ver se não há emboscadas, ou se existe alguém espionando.

Sinais

Posicionamento das tropas do inimigo:

- Se as tropas do inimigo estão próximas de suas posições e permanecem quietas, é porque a posição não é vantajosa a eles.

- Se as tropas do inimigo estão longe de você e ainda ousam vir e o desafiar a batalhar, é porque elas querem seduzi-lo a fazer um avanço.

- Se as tropas do inimigo estão em um terreno plano, é porque há vantagens práticas nesta posição.

Indícios da natureza

- Se as árvores estão se movendo, o inimigo está avançando para você.

- Se você acha muitos obstáculos escondidos entre a vegetação rasteira, o inimigo está tentando nos confundir.

- Se pássaros levantam voos, o inimigo o está aguardando para uma emboscada.

- Pássaros que se reúnem sobre a área de acampamento do inimigo, sugerem que o acampamento deva estar abandonado e que o inimigo fugira.

- Animais assustados, que correm em disparada, indicam sinal de ataque iminente do inimigo.

- Nuvens de poeira que se erguem altas indicam que as carruagens do inimigo estão se aproximando. Quando a poeira ficar baixa e se espalhar pelo chão, é um sinal que a infantaria do inimigo está chegando. Mas se a poeira for levantada em pontos isolados, então o inimigo está cortando lenha para as fogueiras. A poeira que é baixa e que sobe com intermitência indica que o inimigo está lançando acampamentos.

Negociações

- Se o mensageiro do inimigo fala palavras moderadas, mas as suas preparações de guerra continuam, ele vai avançar.

- Quando o inimigo fala de forma belicosa e ameaça avançar, ele vai se retirar.

- Se o inimigo envia um mensageiro com palavras conciliadoras, é porque possui desejos para uma trégua.

- Quando o inimigo pede uma trégua, mas não sofreu um retrocesso, então está tramando algo.

Formações inimigas

- Quando as carruagens leves do inimigo partirem primeiro e tomarem posição nas alas, significa que o inimigo está organizando a sua formação de batalha.

- Quando os comandantes do inimigo se mostram ocupados e movem-se para organizar as posições dos soldados, a pé e dos veículos armados, então o inimigo está esperando para lançar um ataque decisivo.

- Quando a metade das tropas do inimigo avança e a outra metade recua, significa que o inimigo está tentando nos atrair para uma armadilha.

Comportamento inimigo

- Quando os soldados do inimigo se apoiam nas suas próprias armas, você deduzirá que eles se encontram famintos e fatigados.

- Quando os próprios soldados que trazem água bebem-na primeiro, significa que o inimigo tem sofrido de sede.

- Se os soldados se recolhem em grupos pequenos, cochicham, e todos reclamam, é porque o comandante perdeu o apoio deles.

- Quando mais oficiais ficam irritáveis, o inimigo está cansado de guerra.

Inimigo em desordem

- E se houver uma vantagem e o inimigo não tenta obtê-la, é porque ele está completamente exausto.

- À noite, ouvem-se gritos no acampamento do inimigo, é porque as suas tropas estão com medo e inseguras.

- Quando há desordem no acampamento do inimigo, significa que os seus comandantes perderam o prestígio e a autoridade.

- Quando bandeiras e estandartes mudam constantemente de posição, o inimigo está em desordem.

- Se o inimigo alimenta os seus cavalos com grãos e seus soldados com a carne; quando destrói seus utensílios de cozinha e não mostra qualquer intenção de voltar ao acampamento, quer dizer, ele está desesperado e vai lutar até a morte.

Recompensas:

- Um chefe que recompensa exageradamente os seus soldados, está com problemas.

- Aquele que muito castiga os seus soldados, está com angústias sérias.

- Se ele trata os seus soldados com violência e, depois, teme que eles o traiam, é extremamente inepto.

- Se você castiga soldados que ainda não lhe são devotos, eles não o obedecerão, e se não o obedecerem será difícil utilizá-los. Mas, mesmo com a devoção das tropas, se uma disciplina rígida e imparcial não for reforçada, você também não terá como usá-las.

- Assim, você deverá comandar suas tropas com civilidade e humanidade, para manter seus homens unidos; e com disciplina marcial, para mantê-los na linha. Isso garantirá a lealdade, e você será invencível.

- Se as ordens foram constantemente reforçadas, os soldados serão obedientes, caso contrário, serão desobedientes.

- Se as ordens forem constantemente reforçadas, haverá uma relação complementar de confiança entre o comandante e seus homens.

- Um inimigo que se confronta com você, por muito tempo, sem lutar e nem abandonar sua posição, deve ser considerado com o maior cuidado.

- O que basta é: ser capaz de avaliar sua própria força, ter uma visão clara da situação do inimigo e obter apoio total de seus homens. Aquele que não faz planos ou estratégias, e menospreza o inimigo, seguramente será capturado pelo oponente.

COMENTÁRIO SOBRE O CAPÍTULO 9

Em marcha

Neste capítulo, Sun Tzu revela as formas de como se movimentar na água, na mata, nas colinas e apresenta macetes de sinais dados pelo comportamento dos soldados, como também a importância das ordens, que sejam claras e objetivas, resultando-se na obediência.

"Um exército deve escolher lugares altos, evitar os baixos, valorizar a luz e fugir da sombra." Depois, deve reconhecer os sinais à sua volta e do seu batalhão. Presumir de onde virá o ataque, olhando para o que é natural. Quando isso acontece, é possível inserir os soldados estrategicamente em funções que correspondem à sua habilidade.

É bom que isso fique bem claro: você nunca vai estar pronto e não significa que esse fato vá ter o poder de desmerecer quem você é, basta se apresentar com o coração puro e sincero. Quanto mais claras forem as suas metas e objetivos, mais rápido poderá alcançá-los.

Entenda: obedecer é melhor que sacrificar. Vai ser perda de tempo se você ficar esperando melhorar, adquirir mais habilidade ou desenvoltura para tomar uma atitude em cumprimento ao seu propósito.

Toda a capacidade já foi ofertada a você pelo Criador, o Senhor dos Exércitos, o que você precisa fazer é acionar cada uma dessas capacidades buscando o conhecimento e aplicando-os em suas ações, conforme a necessidade do seu propósito de vida. Não tenha medo de se jogar, mas seja prudente e não negocie princípios, nada é mais importante do que eles. Caso você esteja com medo – um pouquinho de medo é natural, inclusive para manter você alerta, mas o que passar disso é covardia.

Vou dizer algo, preste muita atenção: se Deus quisesse ser apenas o bonzinho, ele jamais seria o Senhor dos Exércitos. Porém, veja como Ele é maravilhoso; tudo o que você imagina em sua mente, tudo o que você consegue visualizar, é porque já existe, você não precisa ter o trabalho de criar nada. Portanto, se o seu cérebro conseguiu captar uma imagem, imaginar qualquer coisa, mergulhe de cabeça a fundo, mas seja intencional para cumprir o propósito.

É imprescindível estar atento aos sinais. Observe a natureza, está tudo lá. Quanto mais atenção você tiver, mais sinais reconhecerá e será um grande ensinamento para a sua vida.

A lealdade e a confiança dos seus soldados são fundamentais para a vitória. Dessa forma, é muito importante que o comandante haja com civilidade e tenha compaixão de seus guerreiros. Suor poupa sangue. Somos o batalhão, e a Terra está repleta da bondade do Senhor. Ele é escudo e socorro. Vá em frente sem olhar para trás.

CAPÍTULO X

地形

Terreno

Sun Tzu disse:

"Na natureza, existem diferentes tipos de terreno: o acessível, o traiçoeiro, o duvidoso, o estreito, o acidentado e o distante."

Tipos de terreno

O que é terreno acessível? É aquele que se apresenta fácil tanto para as suas tropas como para as do inimigo. Se você entrar em uma região acessível, você deverá ocupar posições altas e ensolaradas e manter suas linhas de provisão desimpedidas. Assim, será conveniente para você lutar com o inimigo.

O que é terreno traiçoeiro? É aquele que é fácil para você entrar, mas difícil para sair. Nesse terreno, se você encontrar o inimigo e ele estiver desprevenido, então você o derrotará. Porém, se o inimigo estiver preparado e se você lançar um ataque, você pode não só ser derrotado, como também terá um terreno difícil para bater em retirada. Essa é a desvantagem desse tipo de terreno.

O que é terreno duvidoso? É aquele que se mostra difícil tanto para o inimigo como para as suas tropas. No terreno duvidoso, mesmo que o inimigo tente atraí-lo para combater, você não deve morder a isca, mas fingir que está em retirada. Quando as tropas do inimigo estiverem, então, a meio caminho, em perseguição a você, você poderá golpeá-los. Esta é a vantagem do terreno duvidoso.

O que é terreno estreito? É aquele que apresenta um vale entre duas montanhas. Se você ocupa este tipo de terreno, você deverá bloquear as passagens estreitas com guarnições fortes e esperar pelo inimigo. Se o inimigo ocupou esse terreno antes e bloqueou estas passagens estreitas, você não deverá persegui-lo. Se o inimigo não bloqueou essas passagens, você poderá procurá-lo.

O que é terreno acidentado? É aquele que contém rios, montanhas, escarpas, colinas e cristas. Se você atingir um terreno alto e acidentado antes do inimigo, você deverá ocupar uma posição alta, do lado ensolarado, e esperar pelo inimigo que se aproxima. Se as forças inimigas controlarem este tipo de terreno, você deverá retirar suas tropas, e não o perseguir.

O que é terreno distante? É aquele que apresenta distâncias consideráveis entre os campos oponentes. Neste tipo de terreno, se as vantagens de suas tropas e das tropas inimigas se equivalem, certamente, não será fácil atrair o inimigo para uma batalha. Do mesmo modo, será desvantajoso levar a batalha até ele.

Portanto, estes são os modos para tirar proveito dos seis tipos diferentes de terreno para lutar. Os comandantes têm a responsabilidade mais alta para investigá-los cuidadosamente.

Seis situações que apontam a derrota de um exército

Um comandante deverá saber as seis situações que apontam a derrota de um exército:

1. Quando os soldados fogem;

2. Quando eles possuem disciplina negligente;

3. Quando o exército está deteriorado;

A ARTE DA GUERRA 孫子兵法

4. Quando se desmorona sob a insurgência;

5. Quando é desorganizado

6. Quando foi derrotado.

Nenhuma destas situações é consequência de catástrofes naturais, elas são decorrentes das falhas dos comandantes.

Quando as vantagens estratégicas são iguais, entre você e seu inimigo, e se o seu exército tiver que lutar contra uma força dez vezes maior, o resultado será a sua fuga.

Quando os soldados são valentes e qualificados, mas os oficiais são fracos e incompetentes, então o exército inteiro será negligente quanto à disciplina.

Quando oficiais são valorosos e competentes, mas os soldados são fracos e sem treinamento, o exército ficará deteriorado.

Quando os oficiais mais graduados têm rancores contra os chefes, eles são insubordinados e, ao encontrarem o inimigo, se precipitarão em uma batalha sem autorização. Se ao mesmo tempo, o chefe é ignorante das suas habilidades, então o exército se desmoronará.

Quando o líder é fraco, incompetente e não impõe respeito, quando oficiais e soldados se comportam de um modo indisciplinado, quando falta treinamento formal e instruções claras, quando formações militares são desordenadas, o exército está desorganizado.

Se um líder não calcula a força do inimigo e emprega uma força pequena contra um exército grande, combate um inimigo forte com tropas fracas, e ao mesmo tempo não seleciona unidades de vanguarda, o resultado será a derrota.

Portanto, estas seis situações são as causas de derrota. Os comandantes têm a responsabilidade mais alta para investigá-las cuidadosamente.

Deveres básicos de um comandante

Em operações militares, o terreno é um aliado importante do comandante. Avaliar, corretamente, a situação do inimigo, criando condições favoráveis para a vitória, e analisar os tipos de terreno e distâncias com muito cuidado, são os deveres básicos de um comandante sábio.

Aquele que avalia corretamente esses aspectos e sabe aplicá-los, vencerá; aquele que é ignorante nestas normas e não sabe como empregá-las em guerra, será derrotado.

Se, ao estudar a situação existente e estar certo de que o resultado da batalha resultará em vitória, um chefe sábio decidirá lutar, mesmo se o soberano não lhe ordena. Reciprocamente, se a situação aponta uma derrota, ele decidirá não lutar, mesmo se o soberano assim o ordena.

Se um comandante avança sem buscar a fama pessoal e retrocede sem se eximir da responsabilidade; se sua preocupação é proteger a população e a segurança das pessoas e promover os interesses do soberano, então, aí está um chefe que é tal qual uma pedra preciosa do Estado.

Se o comandante se preocupa com seus soldados como se fossem crianças, eles o acompanharão até os lugares mais profundos; se ele os trata afetuosamente, como se fossem os seus próprios filhos amados, então, eles estarão dispostos a morrer com ele na batalha.

Se o comandante favorece os seus homens, mas não sabe usá-los; os arma, mas não pode comandá-los; e quando eles violam leis e regulamentos, ele não os castiga ou chama-os à ordem, tais soldados são como crianças mimadas e serão inúteis para batalha.

Conhecendo a situação

Um comandante que só conhece a capacidade de suas tropas, mas não sabe a invulnerabilidade do inimigo, terá só metade das chances de vitória.

Um comandante que sabe que o inimigo pode ser derrotado, mas não sabe a inabilidade das suas próprias tropas, também terá só metade das chances de vitória.

Um comandante que sabe que o inimigo pode ser derrotado e que suas próprias tropas têm a capacidade para atacar, mas não sabe que as condições do terreno são inadequadas para a batalha, as suas chances de vitória estarão reduzidas pela metade.

Assim, um comandante habilidoso movimentará suas forças sempre no caminho certo e quando entrar em ação, seus recursos serão ilimitados.

Assim se diz: "Conheça o inimigo e a si mesmo e você obterá a vitória sem qualquer perigo; conheça terreno e as condições da natureza, e você será sempre vitorioso".

COMENTÁRIO SOBRE O CAPÍTULO 10

Terreno

"Quem conhece a si mesmo e ao inimigo pode garantir a vitória, mas quem conhece o tempo e o terreno alcançará de forma absoluta."

Investigar e reconhecer os diferentes tipos de terrenos é uma das funções mais importantes do comando do exército. Dessa atividade, dependem as estratégias de ataque, o nível de confiança da tropa em seu comandante e todas as ações que envolvem força e manejo de recursos no decorrer da batalha.

Reconhecer os terrenos pelos quais se vai atravessar é o mesmo que saber quais armas se deve levar para a batalha, pois cada tipo de solo exige preparo e posturas diferentes. Você está preparado?

Quanto mais você se prepara, mais longe consegue ir, melhores oportunidades se despontam e mais longe consegue chegar, ninguém consegue parar você! O Senhor o coloca em lugares altos.

O dinheiro é um recurso muito importante, inclusive na guerra. Ele potencializa e revela caráter. Há pessoas que desviam recursos, quando recebem mais armamento do Senhor dos Exércitos.

Anota o código: Salomão já dizia que a alma generosa prosperará. Alguns pensam que vão começar a fazer doações, por exemplo, quando tiverem dinheiro sobrando. Preste atenção: o recurso é um armamento que Deus disponibiliza na mão de quem entende.

Quando alguém ouve a voz do Senhor, entende a direção e obedece, recebe o armamento. Quem é generoso, dá atenção ao povo, transborda e solta o que tem dentro, ou seja, não retém o que Deus colocou no coração, investe em relacionamento.

Deus colocou riqueza no seu coração? Não retenha. Colocou sabedoria? Não retenha o que Deus colocou no seu coração, se quiser manter o acesso, caso contrário, Ele vai cortar. Muitos vão perder o acesso a isso. Transborde!

Se você deseja sabedoria e não alcança, é porque você retém e não transborda, então foi cortado. Só recebe novos investimentos quem transborda.

Se você estiver retendo, não transbordando, poderá não decolar. Quando você entende isso, não quer mais viver na escassez, e o coração é a prova do transbordo.

Não retenha o pouco que você tem. Anota este código! Quem honra com o pouco vai ser colocado no muito. Você é um despenseiro da graça, do favor, você é a despensa de Deus para servir as pessoas na Terra, portanto, é um canal de transbordo.

O princípio da honra vem antes da hierarquia. Uma base sólida faz com que os processos sejam mais produtivos e leais, porque honrar vai além de obedecer, é caminhar no mesmo propósito e ter a visão do comandante.

O segredo da vitória está em conhecer o inimigo e a si mesmo, os vários terrenos e os fenômenos da natureza. Quem não vai para a guerra não prova a paz, ou seja, vive apenas no campo do conflito.

Saia da caverna e entre no favor; você volta uma década, mas, depois, dá um salto de outra década. Na caverna, envelheci dez anos, mas, ao sair de lá, me dei conta de que havia rejuvenescido dez anos. Reprogramação significa metanoia, mudança de rota, faço isso todos os dias com minha mente ao me dispor a fazer o *boot* cerebral, sabe o que é isso?

O *boot* cerebral é uma restauração, reinicialização e limpeza da mente. Esse momento é oportuno para realizar a mentalização do dia e de desejos a curto, médio e longo prazos. Também é útil para que você não passe o dia preocupado com nada.

Invista mais de um minuto nessa atividade e, quanto mais maduros estiverem seu cérebro e sua imaginação, mais fácil será a mentalização:

A ARTE DA GUERRA 孫子兵法

- Fique de pé, com as pernas abertas, mãos na cintura e olhos fechados;

- Respire fundo;

- Mentalize sempre algo positivo;

- Mentalize um dia produtivo;

- Mentalize você governando sobre seus desejos;

- Mentalize a sua casa salva e guardada, de toda praga, desgraça e escassez. Você vai prosperar e defender sua família;

- Respire;

- Mentalize uma imagem que você deseja sobre você mesmo e dê um sorriso forçado. É um sorriso muscular, que é capaz de mudar o cérebro.

Para completar, neste capítulo, Sun Tzu mostra alguns tipos de terrenos e revela como se movimentar em cada um deles:

- Acessíveis: parecem fáceis de atravessar, mas há sempre o inesperado com o qual devemos saber lidar. Olho vivo e atenção para que esse tipo de terreno não o leve para longe do propósito.

- Tortuosos: apresentam desafios diferentes e inesperados, mas que podem revelar o caminho excelente, quando os olhos vislumbrarem o alvo.

- Indecisos: são terríveis e podem frear a caminhada. Evitá-los é a melhor solução e o segredo para isso está no mapa, a Palavra que transforma.

- Apertados: são dolorosos muitas vezes, mas prometem uma chegada incrível. O importante é não se desviar do caminho.

- Acidentados: basta estar com os olhos bem abertos, ter foco em tudo o que fizer e um objetivo definido para não cair nos obstáculos desse caminho. Eles são vários e diferentes, alguns são pura ilusão, inclusive. Atenção!

- Distantes: em caminhos distantes é importante estar atento ao cansaço, porque é comum desistir do caminho quando ele aperta. Por isso, é necessário ter disposição e coragem para seguir por esse terreno.

Evitar seguir sozinho é a melhor opção, pois, quando um se cansa, o outro está preparado para dar apoio e ajudá-lo a retomar a caminhada.

Caso aconteça de você adentrar por esses caminhos sozinho, busque um só para trilhá-lo contigo, o general que não falha e nem se cansa.

Não é dos fortes a vitória, nem dos que correm melhor, pense nisso.

CAPÍTULO XI

九地

As nove situações

Sun Tzu disse:

"Em operações militares, o terreno pode ser classificado de acordo com nove posições geográficas e que interferem no modo de executar as operações militares. Desta forma, os tipos de terreno são os seguintes: o dispersivo, o marginal, o contencioso, o aberto, o convergente, o crítico, o difícil, o cercado e o desesperado."

A arte da guerra reconhece nove situações táticas que poderá enfrentar, conforme o terreno.

1. Dispersivo: quando um governante empreende uma campanha no seu próprio território, o lugar é chamado dispersivo.

2. Marginal: o território inimigo no qual ele entra, mas não penetra profundamente, é chamado marginal.

3. Contencioso: o território cuja ocupação for favorável, tanto para o inimigo quanto para nossas forças, é chamado de terreno contencioso.

4. Aberto: o terreno que é acessível para ambos os lados é chamado terreno aberto.

5. Convergente: um território onde vários Estados vizinhos se encontram e que possui cruzamentos importantes é chamado de convergente. Aquele que adquire o seu controle por primeiro, obterá aliança com os demais vizinhos.

6. Crítico: quando um governante penetra profundamente em território hostil, depois de ter atravessado muitas cidades inimigas encontra-se em território crítico.

7. Difícil: um terreno com altas montanhas, florestas densas e pântanos impenetráveis ou qualquer lugar onde é difícil viajar é chamado terreno difícil.

8. Cercado: um terreno para o qual o acesso é estreito e qualquer retorno exige um desvio, de forma que uma tropa, mesmo pequena, bastará para derrotar um exército grande, é chamado terreno cercado.

9. Desesperado: um terreno onde apenas uma batalha desesperada e com todas as suas forças o salvará, mas que se você falhar, será derrotado e destruído, é chamado terreno desesperado.

Conduta nos diferentes tipos de terreno

Portanto, nunca lute em terreno dispersivo; nunca permaneça em terreno marginal; nunca ataque um inimigo que primeiro alcançou um terreno contencioso; nunca permita que se bloqueiem as comunicações do exército em terreno aberto; forme alianças com governantes de estados vizinhos em terreno convergente; saqueie os recursos do inimigo para as suas provisões em território crítico; atravesse, rapidamente, os terrenos difíceis; elabore planos e estratagemas para atravessar os terrenos cercados; e trave uma batalha com todas as suas forças.

Táticas antigas

Antigamente, os comandantes qualificados nas operações militares buscavam:

- Impedir que a vanguarda e a retaguarda dos inimigos estabelecessem contato;

- Impedir que o corpo principal do inimigo e suas divisões pequenas se apoiassem mutuamente;

- Impedir que os oficiais e os subordinados do inimigo se apoiassem mutuamente e se comunicassem entre si;

- Dispersar os soldados inimigos de modo que eles não pudessem se concentrar, e caso se reunissem, não pudessem se juntar em grupamentos.

Os comandantes habilitados avançariam quando a situação lhes fosse favorável e permaneceriam estacionados quando a situação lhes fosse desfavorável.

Ao ser perguntado: "Se o inimigo vem atacá-lo com um grande e bem ordenado exército, como você lidaria com isto?"

A resposta é: "Capture algo que ele preza e ele se curvará aos seus desejos".

Essência das operações militares

A essência das operações militares é a velocidade das ações e a exploração das vulnerabilidades do inimigo, indo por caminhos que ele não espera e atacando onde ele não está preparado.

Princípios gerais para fazer a guerra em território inimigo

Os princípios gerais para se fazer guerra em um território inimigo são os seguintes:

Quanto mais você penetrar em território hostil e seus soldados estiverem coesos, mais difícil será para os defensores o derrotar;

Se você penetrar em uma terra fértil, você deverá saquear os campos inimigos, pois, isto garantirá provisões para seus homens;

Alimente seus soldados e não os desgaste, mantenha o moral alto e conserve as suas energias;

Movimente suas tropas com táticas engenhosas de forma que o inimigo não possa prever seu estratagema;

Você deverá lançar seus soldados em situações das quais não há nenhuma chance de retirada, e de onde eles não fugirão, nem sequer quando estiverem enfrentando a morte.

E quando os soldados não tiverem medo de morte, não haverá nada para eles temerem e eles darão o máximo de si em seus combates.

Soldados que penetram profundamente em território inimigo ficarão destemidos, não haverá nenhuma estrada para eles se retirarem, e eles permanecerão firmes.

Estando em território inimigo, eles estarão coesos. Nesse terreno, não há nenhuma escolha e todas as lutas serão como uma batalha desesperada.

Assim, tais soldados não precisam de nenhum treinamento para serem vigilantes. Eles farão o que você quiser, mesmo antes que você determine; eles cooperarão, mesmo antes que você os determine; e eles seguirão na sua direção conscientemente, mesmo antes que você os ordene.

Você deverá proibir superstições e deverá desfazer rumores e suspeitas entre seus soldados, assim, eles não abandonarão a batalha, mesmo em face da morte.

Os soldados não têm nenhuma riqueza em excesso, porque eles desprezam os bens materiais; eles não temem a morte e não se preocupam com a longevidade.

No dia em que ao exército for ordenado para combater uma batalha decisiva, os soldados poderão sentar e poderão chorar com lágrimas que molham suas roupas, alguns poderão deitar e chorar com lágrimas que fluem pelas suas bochechas. Mas se você os lança em uma situação onde não há nenhum modo para eles se reti-

A ARTE DA GUERRA 孫子兵法

rarem, eles se mostrarão destemidos e tão valentes quanto Zhuan Zhu ou Cao Gui.

Pesquisas indicam que Zhaun Zhu, sem temer a morte, atacou sozinho, apenas munido de uma faca, o Duque de Huan, recuperando terras que lhe haviam sido tomadas. Cao Gui, criminoso da província de Wu, mesmo sabendo que receberia a pena capital, matou o rei Liao.

A serpente do monte Chang

Aqueles que estão qualificados nas operações militares deverão ser como o shuairan, a serpente de Monte Chang. Se você golpeia sua cabeça, seu rabo lançará um ataque contra você; se você bate em seu rabo, sua cabeça o golpeará; se você bate em seu corpo, ela atacará com sua cabeça e com seu rabo.

Se perguntassem: "Os soldados podem alcançar essa coordenação instantânea como aquela serpente? ".

A resposta seria: "Eles podem".

Todo o mundo sabe que as pessoas de Wu e as pessoas de Yue são inimigas, mas se eles viajassem em um mesmo barco apanhado em uma tempestade, eles ajudariam uns aos outros, da mesma maneira que as mãos esquerda e direita cooperam.

Amarrar as pernas dos cavalos de guerra ou prender as rodas das carruagens nunca foram modos fidedignos para se manter os soldados unidos e evitar as deserções do combate.

Manter os soldados empenhados na batalha e dispostos a lutar corajosamente depende de uma boa administração e de bom comando militar.

A exploração correta das situações trará coragem aos soldados e permitirá a exploração das possibilidades das suas tropas.

Um comandante habilidoso deve comandar milhares e milhares de cavalos e homens, como se ele estivesse conduzindo um único homem, que não hesitará em segui-lo.

Para comandar um exército

- Um comandante tem que ter uma mente serena e insondável.

- Ele deve comandar suas tropas de uma maneira imparcial e vertical.

- Ele deve manter os seus oficiais e soldados ignorantes de seus planos militares.

- Ele altera as disposições de suas tropas e seus planos militares sem que qualquer um fique sabendo.

- Ele modifica suas áreas de acampamento, utilizando caminhos diversos, sem que qualquer um se antecipe a sua intenção.

- Um comandante que conduz suas tropas para lutar uma batalha decisiva deve cortar todos os meios de retirada, assim como se joga uma escada para trás, depois que se galga uma altura.

- Quando ele conduz as suas tropas em um reino vizinho, deverá ter o impulso de uma flecha que foi lançada.

- Ele comanda os seus soldados, assim como se faz com um rebanho de ovelhas sem que qualquer um saiba qual o seu destino.

- Ele reúne seu exército inteiro e penetra com ele em situações perigosas.

Isto é o que um chefe deveria fazer.

As táticas variadas de acordo com os tipos de terreno, os movimentos de avanço ou recuo, segundo as condições favoráveis e a observação da natureza humana, é tudo o que um comandante tem que estudar e examinar cuidadosamente.

Para conduzir uma guerra no território inimigo

Quanto mais fundo seus guerreiros penetrarem em território hostil, maior será o espírito deles para lutar;

Quanto menos profundo seus guerreiros penetrarem, menor será a disposição deles para a luta;

Ao cruzar a fronteira para um país vizinho, para um campo de batalha onde não há nenhum modo para soldados retornarem, você está em terreno crítico;

Ao ocupar uma posição que se estende em todas as direções, você entrou em território convergente;

Ao penetrar profundamente no território do inimigo, você entrou em solo crítico;

Ao penetrar uma pequena distância, você está em solo marginal;

Ao deparar-se com um local com terreno áspero na sua parte de trás e uma passagem estreita, você está em terreno cercado;

Ao entrar em uma região onde não há nenhum modo para a retirada, você está em terreno desesperado;

Logo:

Quando você está em terreno dispersivo, você deverá tornar suas tropas unificadas;

Quando você está em um terreno marginal, você deverá manter as tropas compactadas;

Quando você está em terreno contencioso, você deverá acelerar suas tropas de defesa;

Quando você está em terreno aberto, você deverá defender o seu acampamento de forma cuidadosa;

Quando você está em solo convergente, você deverá formar alianças fortes com os governos vizinhos;

Quando você está em terreno crítico, você deverá assegurar um fluxo de meios materiais;

Quando você está em terreno difícil, você deverá ultrapassá-lo apressadamente;

Quando você está em terreno cercado, deverá bloquear os pontos de acesso ou de retirada;

Quando você está em terreno desesperado, você tem que mostrar para seus soldados que não há nenhuma escolha, além de um combate até o último homem.

Psicologia dos soldados

Um comandante tem que conhecer a psicologia dos soldados:

- Eles resistirão, enquanto estiverem cercados;

- Eles lutarão desesperadamente, enquanto estiverem sendo forçados;

- Eles seguirão o comandante quando entrarem em situações perigosas.

Enfatizando

Um comandante que desconhece a intenção dos governantes vizinhos não pode formar alianças com eles; se desconhece os segredos das montanhas, das florestas densas, dos abismos perigosos, dos precipícios e dos pântanos, não poderá mover suas tropas; se não contrata guias nativos, não pode desvendar os terrenos favoráveis; se desconhece as vantagens e desvantagens de várias posições de batalha, não pode comandar um exército que serve um soberano.

Se o exército de um soberano ataca um estado forte, não deve permitir que este estado reúna forças para resistir; e onde quer que tal exército vá, intimida seu inimigo e impede que os seus aliados vão a seu socorro; então um estado com tal exército invencível não precisa buscar alianças com outros estados, nem precisa estabelecer seu poder nestes estados e só confia em sua própria força para intimidar o inimigo, e poderá capturar as cidades do inimigo e destruir o seu estado.

Se ao conduzir um exército de um soberano, você conferir recompensas, independentemente da prática habitual e expedir ordens independentemente do já convencionado, você pode comandar milhares e milhares de cavalos e homens como se estivesse conduzindo um único homem.

Prepare suas tropas para a operação, mas nunca lhes conte de seus planos; empregue-as para obter os pontos vantajosos, mas nunca lhes conte sobre os perigos que a situação de desvantagem acarretaria.

É só lançando um exército para uma posição perigosa que seus soldados perceberão que podem sobreviver; só os colocando em um terreno desesperado que eles perceberão que podem continuar vivos. Apenas quando os soldados forem colocados em perigo é que eles poderão transformar uma derrota em vitória.

O sucesso das operações militares reside na descoberta das intenções do inimigo e no esforço para identificar seus pontos fracos.

Concentre sua força sobre o inimigo e você poderá matar o seu comandante, mesmo se estivesse a uma distância de mil li.

Isto é chamado de "conquistar um objetivo de forma astuta e engenhosa".

Ao declarar guerra

No dia em que for decidida uma declaração de guerra, você deverá fechar todas as passagens, anular os passes de fronteira e encerrar todo o contato com os emissários do inimigo. Cuidadosamente, examine seus planos militares no conselho do templo e tome as decisões.

Se você descobrir o ponto fraco do oponente, você tem que afetá-lo com rapidez. Capture, inicialmente, aquilo que for muito valioso para o inimigo. Não deixe que seja revelada a hora do seu ataque.

Seja sábio para perceber que, para obter a vitória, seus planos devem modificar-se de acordo com as situações do inimigo.

No princípio, assuma a pureza de uma donzela; quando o inimigo lhe abrir os portões, ataque-o tão rapidamente quanto uma lebre arisca. Assim, o inimigo ficará impossibilitado de resistir a você.

COMENTÁRIO SOBRE O CAPÍTULO 11

As nove situações

Complementando o capítulo 10, Sun Tzu apresenta os nove territórios e como agir dentro deles. Enfatiza a velocidade e o ataque surpresa como fatores fundamentais na movimentação.

Em qual território você se encontra neste momento?

- **Fronteira:** território perigoso e incerto. Talvez seja o mais delicado de todos, porque nunca se sabe o que há no outro território além da fronteira. Mas eu posso dar uma dica, se você está saindo de uma zona de conforto para um terreno melhor, mesmo que seja desconhecido, e você passe por terrenos tortuosos, esse caminho vai levá-lo a conquistar o propósito. Há um caminho eterno e sem volta para o qual eu recomendo fortemente a passagem. O segredo está em ter olhos bons; o restante será coração sossegado e fogo na alma.

- **Chave:** é aquele em que você tem a chance de aprender o que é necessário para fazer o que deve ser feito. Esse território é o agora. Nele se aprende e se vive; e somente nele é possível transformar e ser transformado.

- **Disperso:** é aquele em que há muitas possiblidades e você pode se perder nesse território. Mesmo que isso aconteça, entenda que nunca é tarde para começar, mas é sempre cedo para desistir. Avance em busca da fonte.

- **Aberto:** esse é um território acessível para ambos os lados, mas você não se perde se conhecer bem o caminho em que deve andar. Basta seguir o coração e dominar o cérebro para não se desviar.

- **Interseção:** há um cruzamento nesse território, não se distraia para não pegar a saída errada. Foco e determinação ajudam nessa caminhada, mas atenção aos sinais.

- **Perigoso:** prudência é essencial, o recomendável é que se evite esse território. Caso contrário, observe o alerta: "O prudente vê o mal e se esconde". Mantenha-se forte e corajoso para sair ileso desse lugar.

- **Difícil:** qual é o obstáculo que, por mais difícil que pareça, não tenha solução? Assim é esse território. Por mais denso, tortuoso ou íngreme que pareça, a saída está disponível. É o general quem sonda e sabe aonde seus soldados conseguem chegar. Esteja disposto, abra o coração e permita-se guiar pelo grande Eu Sou.

- **Cercado:** é o território que apresenta caminhos estreitos e um desvio. É fácil derrotar o inimigo nesse lugar, desde que você não esteja despreparado porque, neste caso, o derrotado pode ser você. O segredo é estar rodeado pela presença do Senhor, é Ele quem dá a vitória.

- **Mortal:** atenção! Não entre nesse território. O caminho reservado a você chama-se vida eterna.

Além de conhecer o inimigo, conheça a si mesmo e esteja preparado para andar por qualquer território e enfrentar variadas situações, mas desviando-se do caminho mau.

Multiplique as forças. O verdadeiro líder é aquele que unifica a tropa quando é preciso, para o bem do seu batalhão, e pela unidade faz seus soldados parecerem um só homem por causa da aliança e do propósito.

O bom comandante está entre os soldados em situações perigosas. E o bom soldado resiste ao cerco, luta enquanto é forçado e não abandona o seu comandante no perigo.

O que define o sucesso ou o fracasso de uma guerra é a descoberta ou não das intenções do inimigo. Depois de declarada a guerra, feche as possíveis brechas em que o inimigo poderá, de forma astuta, entrar.

A essência das operações está em surpreender o inimigo, atacando-o onde não está preparado. E o sucesso consiste em descobrir as intenções do inimigo e derrotá-las antes de serem postas em prática. Mas por mais ciladas que ele tente criar contra o exército, a derrota está declarada, ele não tem poder de fogo contra o general do Reino.

Não fique engessado apenas em uma estratégia. Adapte-se às situações e não anule a sua identidade, é ela que faz você andar por lugares altos. Para isso, é necessário foco e atenção. Tenha em mente que eu sou apenas a faísca, você a pólvora e o Espírito é a combustão. Não é exclusivamente sobre você, entende? Vá para a guerra se quiser vencer na vida. Mas nunca duvide, pois você não está só em situação alguma.

Parte interna do livro de bambu chinês de A Arte da Guerra ("孫子兵法"), de Sun Tzu.

CAPÍTULO XII

火攻

Ataques com o emprego de fogo

Sun Tzu disse:

"Há cinco modos de atacar com fogo. O primeiro é queimar o inimigo que se agrupa; o segundo é queimar suas provisões e propriedades; o terceiro, seus equipamentos; o quarto, seus arsenais e munições; e o quinto, suas provisões de reabastecimento."

O ataque pelo fogo exige alguns cuidados especiais. A época favorável para lançar um ataque pelo fogo é quando o tempo está seco; os dias adequados para atear fogo são aqueles em que a lua está na posição das constelações da Cesta dos Ventos, da Muralha, da Asa ou do Estribo. Pois, quando a lua está nessas posições, ventos fortes subirão.

Além disso, existem cinco maneiras de atacar com fogo. A primeira é queimar os soldados em seus acampamentos; a segunda é queimar armazéns; a terceira é queimar comboios de mantimentos; a quarta é queimar arsenais e paióis; a quinta é lançar fogo, continuamente, sobre o inimigo.

Ilustração da coleção "Heiji Monogatari Emaki" (Museu de Belas Artes, Boston).

Condutas apropriadas

Quando atacar pelo fogo, o combate deve ser conduzido de modo apropriado, de acordo com as situações diferentes causadas pelos cinco tipos de ataque pelo fogo.

Quando o fogo atingir o acampamento do inimigo, você deverá coordenar sua ação com antecedência e do lado de fora. Porém, quando o acampamento do inimigo está em chamas, e os seus soldados ainda permanecem tranquilos, então, você deverá esperar e não lançar o ataque. Quando as chamas ganharem altura, se conseguir atravessá-las, você poderá atacar; se não puder atravessá-las, permaneça em sua posição.

Quando o fogo for ateado, estando você fora do acampamento do inimigo, você não deverá entrar nos seus limites, mas aguardar o momento certo. Se você iniciar o fogo antes da linha do vento, nunca ataque contra o vento. É provável que o vento que soprou constantemente durante o dia se acalme à noite.

Momento oportuno

Qualquer exército deve saber sobre as diversas situações com relação aos cinco tipos de ataque pelo fogo e tem que continuar esperando pelo momento oportuno.

Assim, um comandante que usa o fogo para apoiar o seu ataque terá a certeza da vitória; ele que usa a água para apoiar o seu ataque é forte. A água pode bloquear o avanço do inimigo, mas não pode privá-lo de suas provisões.

Ganhar uma batalha, capturar o espólio, mas não consolidar tais realizações prediz perigo. Porque é um desperdício de tempo e de esforço.

Um soberano iluminado estuda deliberadamente a situação e um bom comandante lida cuidadosamente com ela. Se não é vantajoso, nunca envie suas tropas; se não lhe rende ganhos, nunca utilize seus homens; se não é uma situação perigosa, nunca lute uma batalha precipitada.

Um soberano não deve empreender uma guerra num ataque de ira; nem deve enviar suas tropas num momento de indignação. Quando a situação lhe for favorável, entre em ação; quando for desfavorável, não aja. Deve ser entendido que um momento de fúria passará, e aquele que está indignado voltará a ser honrado, mas um Estado que pereceu nunca poderá ser reavivado, nem um homem que morreu poderá ser ressuscitado.

Os cinco desdobramentos relacionados com fogo devem ser conhecidos, os movimentos das estrelas calculados e um observador colocado para os dias adequados.

Quem usa fogo como uma ajuda ao ataque demonstra inteligência. Quem usa água consegue aumentar sua força. Por meio da água, um inimigo pode ser interceptado, mas dificilmente derrotado.

Um soberano iluminado deve dirigir os assuntos de guerra com prudência e uma guerra com precaução. Este é o caminho que mantém o Estado em paz e em segurança, e o exército intacto.

COMENTÁRIO SOBRE O CAPÍTULO 12

Ataque com fogo

Neste capítulo, Sun Tzu mostra as cinco formas de atacar com o fogo. O fogo é a sua melhor arma secreta. Você pode usá-la de várias maneiras e a seu favor.

Aprenda isso: não temos que lutar contra carne ou sangue. O exército do qual fazemos parte age à base da elegância. Tomai toda a armadura de Deus para que possais resistir ao dia ruim, tomando o escudo da fé, que é uma defesa.

Como cristãos, precisamos de uma armadura bem forte para resistirmos. A armadura é para quem está em guerra. Ela é espiritual e reveste a alma também.

Você sabe que estamos em guerra? Eu já falei a esse respeito aqui no livro. O amor está em guerra e nela não temos que derramar sangue. O amor! Deus é amor e fogo, porque ambos consomem. Uma brasa quando sai do braseiro se apaga, mas, quando encontra o fogo, ela se reacende.

No dia que Jesus voltar, você vai se assustar, porque Ele vai vir com os olhos em chamas de fogo. Você sabe o que significa isso? Essas chamas alcançam todo o corpo. O fogo se alastra e toma conta de tudo; imagine o fogo do Espírito Santo, é poder em altíssima potência.

Essa geração infelizmente representa o frio, mas nós somos o fogo, porém muitas brasas saíram do braseiro e se apagaram. Há chance ainda, porque basta devolver uma brasa à fogueira. Uma brasa nova entra no fogo e consegue ser incendiada, mas porque foi contaminada pela soma do fogo que vem da base e representa todos os que foram brasas anteriormente.

O amor é o fogo. Há um indicativo de que você esteja carregando essas brasas, elas são vivas. Portanto, é impossível guardar o fogo, ele precisa se alastrar, ninguém o segura.

Nós somos as brasas vivas, quem de vós consegue tocá-lo sem ser queimado? Sem fogo não há transformação. Pense no que ele faz. Quando você é tocado pelo verdadeiro amor, a sua vida é transformada. Não importa quem seja ou o que tenha feito com a própria vida. O fogo consome.

Aumente a pressão que sua alma vai arder. Você tem sido ofendido como eu? É só tocar no fogo, ele libera o perdão. O perdão é não se lembrar de algo que o feriu. O que você fez contra mim foi consumido, não existe mais.

Tudo é puro para os puros e tudo é bom para aqueles que amam a Deus. Basta manter o fogo aceso. O que falta a uma geração fria é o calor. Você é luz, então trate de iluminar os lugares por onde passa, porque essa luz é o calor.

Jesus veio trazer fogo do alto para a Terra. Você pode se contaminar por qualquer impureza, mas, se colocar no fogo, ela é extinta. Você vai incendiar a Terra! Prepare-se e busque o fogo que vem do Senhor.

Pegue o código: mantenha sempre os pés quentes e a cabeça fria. Quando a cabeça esquenta, o coração esfria. Mantenha os pés quentes de tanto movimentá-los. Dessa forma, o seu coração vai estar em chamas e sua cabeça, sempre fria.

A cabeça que é o raciocínio e tem que estar sempre em paz, para que todo o entendimento possa acender. Deixe o fogo sair dos olhos e da boca, aí já era! O primeiro que acorda em casa salva todo mundo. Basta um acender a chama. O fogo do nosso exército vem do Espírito Santo. Quem tem ouvidos ouça!

Tudo pode ser explicado pelo que é natural. Para usar o fogo durante uma batalha é importante observar o tempo e a posição da lua. O ideal é que esteja seco e ventando para que as labaredas subam rapidamente.

Identifique o momento certo de usar com maior intensidade a sua energia. Atacar para todos os lados não vai manter você no foco do que realmente importa: confrontar energicamente o inimigo. Não dê munição para os outros conseguirem atacá-lo. Perceba para que lado o vento está soprando.

Não desperdice armamento. Se não vale a pena o confronto, não se desgaste. Espere o momento certo.

Demonstra inteligência aquele que usa o fogo para atacar o inimigo e a água para aumentar sua própria força.

Prudência e precaução mantêm o Estado em paz e em segurança, e o exército intacto. Você precisa entender que só vai desfrutar da verdadeira paz, aquela que excede todo entendimento, se for para a guerra. Esteja disposto a enfrentar os conflitos, para que a sabedoria vença sobre a ignorância. Todas as obras feitas na Terra vão passar pelo fogo. Quando um exército quer derrubar o inimigo e está prestes a conseguir, tem um soldado que grita: "fogo"!

A guerra não é nossa, individualmente, somos parte de um corpo e pertencemos ao maior exército jamais imaginado na Terra. Estamos sendo treinados. Desse modo, é necessário adquirir sabedoria. A palavra é o melhor dos manuais, além disso, quanto mais maturidade espiritual, mais renovados em amor. E maior é a chama que aquece nosso ser. Esteja pronto.

CAPÍTULO XIII

用間

Utilização de agentes secretos

Sun Tzu disse:

"Adversários podem enfrentar-se durante anos, lutando pela vitória, que é decidida num só dia. Continuar na ignorância da condição do inimigo, apenas porque alguém se recusa a desembolsar uma centena de onças de prata em honras e recompensas, é o cúmulo da desumanidade."

Quando um exército com cem mil homens é enviado para uma guerra a uma distância de mil *li*, o povo e os cofres públicos têm que gastar mil barras de ouro todos os dias para sustentá-lo. Haverá agitações internas e no estrangeiro, e muitas pessoas vagarão pelas estradas. Aproximadamente setecentas mil famílias estarão impossibilitadas de trabalhar nos campos.

Nesta época, oito famílias formavam uma comunidade. Quando uma família enviava um homem para se unir ao exército, as sete famílias con-

tribuíam para seu apoio. Portanto, quando um exército de cem mil foi mobilizado, foram cem mil famílias que deram seus filhos e, por conseguinte, setecentas mil famílias ficaram com a incumbência de apoiá-los.

Se um comandante se ilude com a concessão de patentes superiores, honras e cem barras de ouro e desconhece a situação do inimigo, não é um bom conselheiro, e não é um senhor da vitória.

Se um soberano iluminado e seu comandante obtêm a vitória sempre que entram em ação e alcançam feitos extraordinários, é porque eles detêm o conhecimento prévio e podem antever o desenrolar de uma guerra.

Este conhecimento prévio, no entanto, não pode ser obtido por meio de fantasmas e de espíritos, nem pode ser obtido com base em experiências análogas, muito menos ser deduzido com base em cálculos das posições do sol e da lua. Deve ser obtido das pessoas que, claramente, conhecem as situações do inimigo.

O comandante que souber infiltrar espiões nas cidades e nos vilarejos inimigos, em breve, terá ali muitas pessoas inteiramente devotadas. Conhecerá, por seu intermédio, as disposições da maioria em relação à sua tropa.

Esses espiões sugerirão a maneira e os meios que se deve empregar para conquistar a população local. Assim, quando chegar o momento de efetuar o cerco, poderá vencer sem dar o assalto, sem desferir nenhum golpe, sem desembainhar a espada.

Tipos de espiões

Há cinco tipos de espiões que podem ser utilizados: espião nativo, espião interno, espião convertido, espião descartável e espião indispensável.

Quando você emprega os cinco tipos de espiões simultaneamente, o inimigo não consegue desvendar os métodos de operação. É extremamente complicada e se torna uma arma mágica para o soberano derrotar seu inimigo.

Os cinco tipos de espiões são:

1. Espiões nativos ou locais são os próprios aldeãos do inimigo.

2. Espiões internos são os próprios funcionários do inimigo.

3. Espiões convertidos são os espiões do inimigo que nos prestam informações.

4. Espiões descartáveis são os nossos próprios agentes secretos que obtêm deliberadamente falsas informações sobre a nossa situação e as passa ao inimigo. Normalmente eles seriam apanhados e condenados à morte.

5. Espiões indispensáveis são os que trafegam entre o inimigo e nós, e retornam com informações seguras sobre inimigo.

Como empregar os espiões

Somente o comandante mais astuto sabe como empregar os espiões.

Somente o comandante humanitário e justo sabe como empregar os espiões.

Somente o comandante alerta e sutil sabe como obter informação verdadeira dos espiões.

Sutil realmente! Verdadeiramente sutil! Não há nenhum lugar onde a espionagem não seja possível. Se um plano secreto for divulgado prematuramente, o espião e todas as pessoas com as quais ele falou serão condenadas à morte.

Quem planeja golpear as tropas de um inimigo, ou atacar suas cidades, ou assassinar o comandante inimigo, deve descobrir, inicialmente, o nome do chefe da guarnição de defesa, seu ajudante de campo, seus conselheiros, suas sentinelas e seus guarda-costas. Em seguida, é importante orientar seus espiões para que investiguem estes detalhes.

A estratégia consiste em averiguar sobre os espiões inimigos que foram enviados para espioná-lo. Suborne-os, exorte-os e convença-os a lhe servir. Eles podem ser convertidos e trabalharão para o seu lado.

Por intermédio destes espiões convertidos, conseguirá obter informações sobre o inimigo e poderá recrutar os espiões nativos e os espiões internos. Deve empregar seus espiões descartáveis para entregar falsas informações sobre seu exército para o inimigo. Da mesma maneira, é com base nessas informações obtidas que os nossos espiões indispensáveis poderão completar suas missões na hora oportuna.

Um soberano deve saber usar os cinco tipos de espiões. Toda a base do serviço de espionagem recai sobre os espiões convertidos, portanto, esses devem ser recompensados generosamente.

Só o governante esclarecido e o comandante habilidoso, que forem capazes de recrutar os homens inteligentes como espiões, realizarão grandes tarefas.

O uso de espiões é essencial na guerra, e o exército depende desse serviço nos seus movimentos.

Sun Tzu disse:

"A arte da guerra é de importância vital para o Estado. É uma questão de vida ou morte, um caminho tanto para a segurança como para a ruína de um país. Por isso, em nenhuma circunstância deve ser negligenciada..."

COMENTÁRIO SOBRE O CAPÍTULO 13

O uso de espiões

Neste último capítulo, o autor revela as vantagens de se ter um espião e mostra os tipos existentes. "Somente um soberano sábio e um general habilidoso são capazes de utilizar pessoas inteligentes como espiãs e empregá-las, garantindo a realização de grandes feitos."

Treine pessoas para conhecer o terreno inimigo e conquistar parceiros de visão, bons manejadores da palavra e que tenham o coração puro. Nossa luta não é contra carne ou sangue.

Todo suor derramado em treinamento vai poupar sangue no campo de batalha. Não é sobre posses ou cidades, mas sobre pessoas lutarem ao seu lado pelo mesmo propósito, pela mesma missão. Contudo, cuidado, esteja atento, porque os vitimistas também estão por toda a parte recrutando aliados para autenticar sua fraqueza e retardar o progresso de todo o movimento.

Josué e Calebe fizeram parte de um grupo de espiões que foram observar a terra prometida ao povo que saiu do Egito. Voltando de lá, o grupo se acovardou, descreveu o ponto fraco como se fosse o maior de todos os entraves. Preferiu se fazer de vítima a dar crédito à palavra do próprio Deus, como se Ele não tivesse dito nada anteriormente.

Apenas Josué e Calebe confiaram na palavra, os dois sabiam que nada do que tivessem visto naquela terra poderia ser mais forte ou poderoso que a palavra que tinham ouvido de Deus. Eles não olharam a condição. Apostaram na decisão e estavam dispostos a enfrentar gigantes e o que mais aparecesse, porque confiavam e sabiam em quem acreditavam. Logo, não se contaminaram.

Viver de condição é impossível para um batalhão apto à guerra. Decisão é o que move o exército todo.

Não há um lugar em que a espionagem não seja possível, desde que o comandante seja alerta e sutil. A presença do espião, habilitado e consciente, é indispensável em uma guerra. E quem pode ser essa figura?

Somente um líder que forma outros líderes é capaz de grandes vitórias e conquistas.

Se você não está disposto a treinar pessoas para fazerem obras maiores que você, é porque não entendeu nada. Essa guerra não é sobre nós e não diz respeito a nenhum de nossos interesses pessoais ou particulares. Somos soldados liderados pelo Grande Eu Sou, o general mais habilidoso, forte e, ironicamente, amoroso do Universo.

Nossa luta não é pessoal, entenda. Você foi recrutado para a guerra do amor. E sabe o que é mais interessante, mas parece que muitos ainda não se deram conta? Essa guerra está ganha. Somos parte do exército de vencedores! O que mais você quer, amigo? É só aprender. Basta se entregar.

O treinamento consiste em amor, paz, sabedoria, autogoverno, intimidade e vida. Destaque terá o que desfrutar melhor do conhecimento, souber manejar bem a espada e tiver o controle de toda a sua armadura.

Imagine a posição de um exército que vai à guerra com o treinamento precisamente executado. Todos os soldados alinhados à mente do seu comandante, confiantes e munidos até os "dentes" dos mais poderosos armamentos bélicos. Certamente, esse batalhão vai chegar lá com sangue nos olhos e com força máxima para derrotar mais facilmente o seu inimigo.

O amor está em guerra. Preste atenção! O amor é muito mais poderoso que o ódio, a raiva e o rancor. Nenhum armamento é mais pesado, nem mais penetrante que o amor. Sozinho você pode até seguir mais rápido, mas, com um batalhão, você vai mais longe.

Desperta, tu que dormes! Levanta-te e aprenda com o general! Ele tem todo o poder para essa batalha e nenhum outro é dotado de tamanha autoridade. A hora já chegou!

É você que Ele busca, basta se render e o adorar em espírito e em verdade. Buscar a palavra e ser cheio. Que outro exército pode ser tão rico em bondade? Abra mão da vaidade e da fama. Lute pelo que realmente vale a pena: trazer um batalhão de generais para o lado certo do campo de batalha.

TMJADF

**CONFIRA NOSSOS
LANÇAMENTOS AQUI!**